Soy loco por ti, América!

MARCOS REY

Soy loco por ti, América!

Apresentação
JOÃO ANTÔNIO

São Paulo
2005

global
EDITORA

© Palma B. Donato, 2004

1ª EDIÇÃO, L&PM EDITORES LTDA, 1978
2ª EDIÇÃO, GLOBAL EDITORA, 2005

Diretor Editorial
JEFFERSON L. ALVES

Gerente de Produção
FLÁVIO SAMUEL

Assistente Editorial
ANA CRISTINA TEIXEIRA

Revisão
ANA CRISTINA TEIXEIRA
CLÁUDIA ELIANA AGUENA

Projeto de Capa
VICTOR BURTON

Editoração Eletrônica
ANTONIO SILVIO LOPES

Dados Internacionais de Catalogação na Publicação (CIP)
(Câmara Brasileira do Livro, SP, Brasil)

Rey, Marcos, 1925-1999.
  Soy loco por ti, América! / Marcos Rey ; apresentação João Antônio. – 2ª ed. – São Paulo : Global, 2005.

  ISBN 85-260-0978-8

  1. Contos brasileiros I. Antônio, João. II. Título.

04-8151   CDD–869.93

Índices para catálogo sistemático:
  1. Contos : Literatura brasileira   869.93

Direitos Reservados
**GLOBAL EDITORA E
DISTRIBUIDORA LTDA.**
Rua Pirapitingüi, 111 – Liberdade
CEP 01508-020 – São Paulo – SP
Tel.: (11) 3277-7999 – Fax: (11) 3277-8141
E-mail: global@globaleditora.com.br
www.globaleditora.com.br

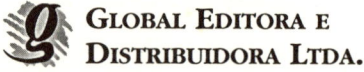

Colabore com a produção científica e cultural.
Proibida a reprodução total ou parcial desta obra
sem a autorização do editor.

Nº DE CATÁLOGO: **2580**

*A Palma, minha mulher,
a quem contei este livro
quando ainda em estado, forma
e dor de realidade.*

Bem antes do mundo melhor

João Antônio

Hoje, numa rua de Botafogo, um homem vai aporrinhado. E só aporrinhado pode ir.

Assim, enquanto os barulhos, o rumor e a poeira do buraco do Metrô me trancavam caminho, dei de cara com um amigo tão atenazado quanto eu. E o nosso café foi de pé, ruim e rápido, urbano e atual. Sem mesinha de mármore ou cadeirinha austríaca, sem guardanapo e sem garção camarada e antigo. Um café bastante indecente, a compor harmoniosamente com o nosso tempo. Estamos longe do aconchego morno e quase terno das leiterias cariocas, falecidas e inesquecíveis, entre cordialidade e sorriso franco. Mais longe do que da Lua ou de Marte. Das leiterias, o que nos resta é um café ruim e caro, rápido e de pé. Engolido quase imoralmente.

Aí, talvez tocado, escorraçado por aquelas lufadas em Marcos Rey a presença de uma espécie de Humphrey Bogart das letras nacionais. E me olhou, pedindo resposta.

Sim, não? Sim e não? O amigo pediu errado, não gosto de comparações.

Tem mais. Para quem acompanha a carreira do autor de *Soy loco por ti, América!*, desde a sua primeira novela, *Um gato no triângulo*, produção de 53, e viu o sucesso de *Café na cama* e de *Memórias de um gigolô*, é fácil perceber a precariedade da comparação. Mas há, afinal, alguma similitude ou paralelismo entre o autor e o ator. Talvez se situe no olhar.

Aí, comparar não é absurdo. Apesar das subidas e descidas da vida, das ressacas, da paixão e do risco, das brigas, fugas e prisões, os personagens de Marcos Rey pertencem, de certa forma, ao mundo em branco-e-preto, à água-forte por onde transitam os personagens das histórias vividas por Bogart. O que lhes sobra, quando sobra, é um olhar de humanismo desencantado que, apesar dos tropeços e porradas, a vida não conseguiu tornar cínico.

Ou, para quem preferir uma ótica mais tipiniquim – como nos sambas de Cartola, a vida é um moinho. Vai triturar, sem pena, todas as nossas vaidades e, no final, só para alguns firmes e fortes, não restará apenas o cinismo.

Pessoalmente, não acredito que haja muitos termos de comparação para o trabalho de Marcos Rey. Um exemplo basta: bem poucos sabem escrever sobre televisão no Brasil. Em *Soy loco por ti, América!*, ele volta à arena. Mas a seu modo. Calibre grosso, voltagem alta. Apresenta sete contos do seu naipe, continua um escritor inconformado, incapaz de embarcar em quaisquer dos modismos da época. E, preservando, antes de outra característica, a de contador de histórias. Apesar do que, todos os seus trabalhos representam denúncia e reviram pelo avesso um sistema: a sociedade de consumo, a precariedade de nossas chamadas profissões liberais, a falência de nossa sociedade de quarto-e-sala, a alienação generalizada até entre os que dizem protestar, o atraca-atraca e o corpo-a-corpo canibalesco nos bastidores do nosso chamado maior veículo de comunicação, a televisão.

Nas sete histórias de *Soy loco por ti, América!*, a temática maior é o capitalismo selvagem de nossas grandes capitais. E que não deram certo – sujeitas a um "desenvolvimento" forçado, apressado e imediatista, sem nenhum tempo de defasagem e, muito menos, de preparação humana. O caleidoscópio de Marcos Rey reflete uma feira de ilusões, e necessidades, atropelada pelo ritmo de seus problemas. Logo, insuportável e neurotizante: dessa máquina de moer gente ninguém sairá inteiro, sejam falsários, radialistas da madrugada, esposas mal amadas, publicitários ou escribas mambembes, atores, atrizes e diretores, cabos eleitorais ou motoristas de táxi, prostitutas ou cafetinas, ricos, pobres, dependentes e pingentes urbanos e até os alegres rapazes e menininhas em flor pré-64, da lamentável esquerda-festiva-etílico-lítero-perfumada-musical.

Uma qualidade apreciável acompanha esse conteúdo fecundo – despojamento completo. Sequer há trucagem ou golpes de estilo e apesar de que Marcos Rey sustenta-se como um dos autores de maior fabulação entre os que escrevem sobre sobrevivência urbana nos dias que correm.

Haverá um mundo melhor?

Hay un mundo mejor, pero es carísimo.

Copacabana, 5 de maio de 1978

Sumário

A enguia 15

O locutor da madrugada 53

O bar dos cento e tantos dias 65

A escalação 83

O adhemarista 109

Primeira epístola aos difamadores 127

Soy loco por ti, América! 139

*Hay un mundo mejor,
pero es carísimo.*

A enguia

*Para
Walter George Durst*

*E*scolhi pela lista telefônica um restaurante do Brás, não dos mais conhecidos, e bem distante do meu bairro, onde certamente nunca tinha pisado. Não foi numa hora qualquer: seis horas, muito depois do almoço e pouco antes do jantar, para não topar com muitos fregueses, entendem? Ninguém me viu chegar de carro. O velho Ita encostei na primeira travessa à esquerda. Usava óculos *ray-ban,* mas não tão escuros que evidenciassem o disfarce, e embranquecera os cabelos com talco, que podia remover com o simples auxílio duma escova, guardada no porta-luvas. Sentei-me a uma mesa diante duma grossa coluna que bloqueava a visão do caixa e de qualquer pessoa que surgisse no balcão. Como esperava, nem dez fregueses, a maioria agrupada na ala oposta à coluna. E nenhum deles, a não ser no final, como verão, interessou-se pela figura monótona que eu compunha, a dum homem voltado à obsessiva leitura duma revista sem ilustrações. Não me levantei uma só vez para lavar as mãos ou ir ao mictório para que ninguém me visse de corpo inteiro. Depois, nenhuma testemunha poderia afirmar: ele tinha mais ou menos um metro e setenta de altura. Tudo prudência.

A única pessoa com a qual teria que manter contato era o garçom da ala. O outro, mais ocupado, nem ao menos notara o freguês de óculos escuros, na mesa da coluna, lendo placidamente sua revista enquanto aguardava a refeição. Era a primeira experiência, o teste, a prova, o grande passo que romperia os limites do Aquário. Daí o alvoroço por dentro, a disritmia cardíaca e aquela espécie de febrícula de resfriado ou gripe não declarada. Quem sabe, pensei, tentando recuperar a tranqüilidade do bom-humor, eu seria um criminoso perfeito, resolvendo problemas morais e emocionais, bastando engolir uma aspirina. Mas não era tão simples assim, infelizmente.

Tudo tinha que ser planificado, medido, representado e às vezes corrigido. Como no caso do garçom. Fiz o pedido com a maior economia de palavras, mas logo me arrependi do laconismo, também suspeito quando excessivo. Aguardei o seu regresso, com os pratos, e então fiz uma pergunta com premeditada naturalidade:

— Tem feito muito frio em São Paulo?
— Não temos mais inverno como antes, aqui.
— Para mim isto já é frio.
— Não é paulista?
— Moro no Rio.

A condução do diálogo, como vêem, obedecia a um plano: deixava uma falsa pista. E com um detalhe inteligente: "moro no Rio", e não "sou do Rio", desobrigando-me do inconfundível sotaque carioca. Há meses, desde a reconstrução do prelo, vinha concentrando-me nos detalhes, o que incluía gestos, palavras e reações. E principalmente falsas informações: moro no Rio. Teria freqüentemente que andar de costas, como silvícolas de certas tribos, para não deixar rumos na terra, areia ou asfalto. No entanto, se estivesse atado aos fios de um detector-de-mentiras, o aparelho registraria todo o meu descontrole de neófito, talvez forçando-me a confessar: "Não estou com fome, seu delegado. Pelo contrário, este filé de peixe está me fazendo muito mal".

Levei o copo de vinho à boca, um chileno que fora dos favoritos de tio Erich, enquanto conferia as precauções tomadas. Comecei a jantar sem pressa para preencher um tempo normal, não culposo. Não dispensei o pudim de caramelo, da sobremesa, nem o café. Um freguês qualquer, sem nada de especial nem no tocante aos hábitos ou preferências alimentares. O cardápio também tinha sido motivo de estudo. Por fim, erguendo ligeiramente o braço, chamei a conta. Claro que foi o momento de maior tensão com a comida pesando no estômago e o sangue formigando no corpo. Um menino, vestido de marinheiro, burlando a dispersiva vigilância dos pais, colocou-se diante de minha mesa a olhar-me com incansável e tolo interesse. Sorri para ele, na esperança que me deixasse em paz. Porém, mudo e imóvel, não me tirava os olhos. Nunca suportei esses fedelhos, e os do sexo masculino são ainda mais insistentes e atrevidos. Por isso o alto índice de mortalidade infantil jamais me preocupou. Creio mesmo que é uma das salvações desse pobre país. Fiz menção de levar a mão ao bolso interno do paletó, para retirar a carteira, e o maldito marinheirinho deu um passo para frente a fim de observar-me de perto. Fui recuando a mão, como se diante disso que chamam consciência ou da alma de tio Erich, que reprovaria meu plano. Vendo que, por estranha razão, me assustava, o garoto aproximou-se ainda mais, à espera de qualquer movimento que fizesse.

Dei graças a Deus quando o garçom retornou com a conta no pires, o que espantou aquele incrível duende. Ao retirar a carteira, notei que meu desequilíbrio prolongava-se até as pontas dos dedos. Com dificuldade, puxei a nota de quinhentos, misturada ou programada entre outras de menor valor. Pela primeira vez pareceu-me grosseira, descolorida, rudimentar. Hesitei.

– O senhor tem aí uma de cem.
– Mas são cento e dois – disse, olhando a conta.
– Não faz mal.

Apeguei-me à última possibilidade:
– Queria lhe dar uma gorjeta.
– Não é preciso, o serviço está incluído.

Paguei a conta com os cem cruzeiros e saí do restaurante sentindo-me uma vítima do azar. Já na rua, amargando uma sensação negativa e desmoralizante, preferi ater-me à palavra imponderável, que também nada explica mas deprime menos. Fora vítima do imponderável, elemento mais de ficção do que da realidade, que teria contornado se não tivesse mostrado as outras cédulas. Ou, certo, feito despesa muito além de cem cruzeiros. Quem pretende viver de dinheiro falso precisa saber o preço das coisas. Isso não é tão paradoxal nem matéria de riso.

Acercava-se da esquina, tecendo considerações sobre meus erros, e espantado diante das probabilidades do imprevisto quando uma velha, vendendo flores, enfiou-me um buquê diante dos olhos.

– Flores, senhor! Flores!
– Não tenho trocado.
– Posso trocar seu dinheiro no armazém.

Não repito, foi exatamente o que ouvi. Dei-lhe uma quina mas não tive nervos para esperar o troco. Caminhei para a esquina, com uma lentidão que não era minha. Ao ver o Ita, não sei por que me descontrolei. Levado exclusivamente pelas minhas pernas, que passaram a mandar mais que a cabeça, corri: uma fuga absurda e sem testemunhas. Entrei no carro, como num refúgio, mas como a florista, talvez outro duende, não aparecesse, dei a partida. Ia dobrar a esquina, sem querer saber de mais nada, quando vi a vendedora com sua cesta de flores a olhar de todos os lados. Reconhecendo-me dentro do Ita, agitou o troco, como uma bandeirola. Estendi a mão: trocara a primeira! Fingi um sorriso e pisei o acelerador, ouvindo:

– As flores, senhor! As flores!

Era manhã de visita de colegiais, o que acontecia infalivelmente duas vezes por semana, sempre no maior alarido e indisciplina, quando os ônibus traziam os diabólicos infantes do curso primário. Aqueles passeios ao Aquário Público nenhum ensinamento ofereciam às crianças. Não passavam dum recreio, longe da escola, onde era mais fácil desafiar a severidade das professoras. Dava pena o trabalho das coitadas para conter os animaizinhos. O único esforço intelectual que faziam era soletrar as placas num coro ensurdecedor: ga-di-for-mes, sal-mo-ni-for-mes, per-ci-for-mes, os-teo-glos-si-for-mes. Mas logo se cansavam e voltavam a correr pelos corredores do pavimento.

Os únicos peixes que atraíam a criançada eram o elétrico e as enguias transparentes, e do primeiro apenas perguntavam "se dava choque". Os agressivos e os camuflados. O resto, para os perturbadores da ordem, era tudo a mesma coisa, por mais incomuns ou coloridos que fossem. As meninas no geral demonstravam maior curiosidade que os meninos, indagando sobre os hábitos e alimentação dos peixes. Mas, à menor aproximação de bandos de garotos, que viam na penumbra do Aquário uma possibilidade sexual, corriam espantadas para perto das professoras. Essas aproximações libidinosas, as iniciantes ereções dos jovens machos, sob a blindagem dos uniformes, tão freqüentes nas visitas ao Aquário, me faziam pensar. Talvez os peixes, tocando-se a todo instante, em sua livre movimentação, tivessem algo a ver com aquela nascente sensualidade. Eu próprio, enquanto deles cuidava, ou simplesmente os observava, sem ter o que fazer, guiava meu pensamento para o sexo. E foi, quem sabe, a fixação mental nesse artigo de luxo, tão torturante para quem tem imaginação, que me fez remontar a miraculosa guitarra, máquina de fazer dinheiro, de meu tio.

Vi a garotada regressando aos ônibus. Para mim, que há anos vinha sofrendo na pele e nos nervos a angústia daquelas invasões, era um alívio quando os alunos iam embora. Mas, àquela manhã, a sensação de alívio foi incomparavelmente maior, ansioso para concentrar-me e tomar decisões. Segui para o jardim, como se fosse acompanhar os vândalos ou despedir-me das professoras, e retirei da carteira os quatrocentos e tantos cruzeiros do troco, da florista. Tocando o dinheiro, à luz da manhã, naquele insuspeito ambiente, gozei a emoção dum mago capaz de transformar dinheiro falso em verdadeiro. O que tinha nas mãos viera do Tesouro Nacional, mesmo assim, guardei-o precipitadamente quando seu Arlindo, o mais antigo funcionário do Aquário, aproximou-se com seu avental sempre tão limpo e branco.

— Acho que agora em dezembro sai o aumento — disse. — São vinte e seis por cento.

— Não sei se espero. Pretendo mudar de profissão.

— Justamente agora? Vinte e seis por cento, meu caro!

Antes de levar ao fogo minha carne congelada, fui ao quarto de empregada onde estava a guitarra. Passei a mão nela quase carinhosamente, sofrendo a dor que me causaria o destino que ia dar àquela admirável miniatura. Mas era necessário, tinha decidido, determinando um limite para meus projetos e ambições. Meu tio, o alemão, o gênio paciente que construíra aquele invento, disse-me uma vez que jamais começaria por ter a certeza de que não saberia parar. Decidi principiar pela sua última advertência.

Às onze horas, horário avançado, mas sem a suspeição da madrugada, desarmei a prensa e coloquei as partes no porta-malas do Ita, juntamente com o papel e o material restante. As centenas de provas falhas, com granulosidade, sombras, formas duplas, cores emaranhadas ou poluídas e linhas difusas, já queimara, bem como as cédulas opacas, sem transparência, ou ásperas, com excessiva pigmentação. O que ficara era trabalho do qual podia me orgulhar.

Com a voz de tio Erich nos ouvidos e nos olhos imagens do Liceu de Artes e Ofícios, onde vivera oito anos de minha infância e juventude, estudando artes gráficas e desenho, fui dirigindo o Ita para uma das pontes sobre o rio Tietê. Observava apenas, pelo retrovisor, desde a Marginal, se estava sendo acompanhado por muitos carros, pois teria que parar no mínimo um minuto para livrar-me da minha carga. Possibilitei que alguns automóveis e caminhões me ultrapassassem e no meio da primeira ponte brequei o carro, como quem vai examinar o pneu, desci, abri o porta-malas e depois voltei ao volante sem correria, porém com elogiável eficiência e rapidez. Ao atingir a outra margem da estrada, iniciei a feliz viagem de retorno, imaginando as partes do prelo no fundo do rio e o papel já encharcado, afundando. Se algum dia a polícia batesse à minha porta, nada encontraria que pudesse comprometer-me pois sabia exatamente o que faria com as vinte mil cédulas.

Ao regressar ao apartamento, fui apanhar a pesada mala sobre o guarda-roupa, girei a chave e destravei os fechos. Lá estava o produto de muitos meses de trabalho, anos, se somasse aos meses a experiência acumulada por meu tio e a obsessão com que dedicara às suas matrizes. Mais uma vez, com vício e cautela de perfeccionista, pus-me a examinar o dinheiro à luz da lâmpada ou sob a mira duma lupa. A série e numeração só se repetiam a cada cem exemplares. Ninguém receberia duas notas com série e números iguais para levantar suspeita. A lupa, mais que a luz, revelava certa flutuação no peso das cores, o que aconselhava que certas cédulas deviam ser passadas à noite ou em lugares pouco iluminados. Para despesas maiores, o mais seguro era agrupá-las em dez e envolvê-las numa cinta de papel, como se provenientes dum banco. Aí o fator psicológico seria preponderante. Mas, se pudesse envelhecê-las, como fazem os falsos antiquários com seus barrocos, se existisse esse preparado, essa química diabólica, que desse às cédulas a autenticidade do tempo, o endosso do uso cotidiano, aí então poderia dormir sossegado. "Dinheiro novo é tão suspeito como a virtude duma virgem velha", costumava dizer tio Erich, querendo explicar por que preferia morrer pobre mas em liberdade. Outras vezes, afirmava, "o dinheiro pode ser insuspeito, mas quem o passa nunca o é". Toda essa sabedoria, para que eu, que o estimulava, não me envolvesse nesse tipo de comércio. Por isso me deu um abraço apertado no dia em que fui admitido no Aquário. Pediu depois que jogasse a prensa e o papel no rio. Pus tudo no carro e parti. Mas não fui ao Tietê daquela vez, escondendo a guitarra e o papel justamente onde mais tarde guardaria a mala cheia de dinheiro. Um detalhe bastante imaginativo do plano, como verão, embora facilitado pelo casual.

    Assim que amanheceu o dia, um magnífico feriado do sol festivo, pus o tesouro de Sierra Madre no Itamarati e rumei para uma das ruas da Barra Funda. Ia rever uma velha serviçal de meus pais, dona Jesuína ou tia Jê, cabocla de oitenta ou mais anos que vivia do rendimento dum porão sobrealugado. Num de seus pequenos cômodos, com apenas cama, uma cadeira e um arcaico guarda-roupa, a prensa estivera coberta por alguns metros de lona, enquanto meu tio a acreditava no fundo do rio. Às vezes, sob o pretexto de filar um café da velha, ia rever a guitarra, imaginando como seria o dia em que a faria funcionar. O dia chegou com a morte do bom tio Erich, cuja miséria, a mais grave de todas as enfermidades, acabara por atacar o coração.

    — Mas onde tem andado, Riquinho? Não apareceu mais desde que retirou aquele traste daqui.

    Era verdade: desde a morte de tio Erich aparecera uma só vez para adiantar três meses de aluguel, mantendo o quarto.

    — Estive viajando. Quanto ao quarto, espero que não o tenha alugado a ninguém.

    — Eu não faria isso, ele ainda é seu — E olhando a mala: — Vai morar aqui, agora?

    — Não, tia Jê, mas vou deixar esta mala, que ocupa muito espaço no hotel.

    Desse momento em diante, o tesouro estaria em lugar seguro e não sabido. Explico: ninguém no mundo conhecia meu relacionamento histórico com tia Jê. As pessoas que nos viram juntos, em minha infância, estavam mortas ou tinham mudado para o planeta Marte. Mesmo se meu retrato saísse nos jornais, a cabocla, analfabeta, graças a Deus, não apareceria com a mala acusadora. Televisão, não possuía e não assistia à dos vizinhos por causa de suas cataratas. Se o rádio divulgasse meu nome, estaria chovendo no molhado, porque a velha apenas ouvia, e não com muita freqüência, os programas matinais de músicas caipiras. Para incriminar-me, somente as cédulas falsas no bolso, envoltas nas cintas bancárias que acumulava mensalmente ao receber o salário na agência. Por que reteriam por muito tempo um modesto funcionário do Aquário Público, sem antecedentes criminais e nem ao menos multas a pagar no departamento de trânsito?

— Vou colocar a mala sobre o guarda-roupa.
— Está pesada, filho?
— Não tanto. Depois trago a das roupas.
— Roupas? E esta, o que tem?

Pensei no tio Erich e no imponderável, e num impulso joguei a mala sobre o empoeirado guarda-roupa.

Aquela noite, jantei num fino restaurante e tomei o vinho mais caro de seu estoque, escolhido pelo preço, não pela fama ou qualidade. Passei em seguida pelo La Licorne, onde estivera uma vez apenas para espiar timidamente. Percebi logo que as mulheres, prostitutas para homens ricos e turistas, não tinham raios X nos olhos, portanto não sabiam quanto levava na carteira. Essa sistemática e generalizada indiferença me deprimiu, o que piorou após algumas doses de Dimple. Já ia retirar-me, não querendo me conformar com as mais feias, que não valiam o capricho do artista da guitarra, quando uma loira cintilante, de casca doirada, cruzou diante dos meus olhos. Passei a olhá-la com insistência hipnótica e depois a segui-la pela boate, materializando-me à sua frente quando ela sentava-se ou recostava-se ao balcão. Mas a loira, quase sempre em movimento, falando com as colegas e os fregueses, atendendo a telefonemas, dando recados ao *barman* e ao porteiro, não via, não queria ou fingia não me ver. Por que, se a outros, muito mais velhos, inclusive de aspecto grosseiro, distribuía sua atenção? Somente quando me retirava, um tanto bêbado e humilhado, entendi o motivo do procedimento dela e de outras mulheres em relação a mim: a roupa. A modesta roupa de quem ganhava três salários mínimos no Aquário. Como elas, as vorazes gatas noturnas, com seu apetite financeiro, a gula com que devoravam as safras daquela convenção de fazendeiros, poderiam acreditar, vestido de brim barato, que tivesse no bolso o alto pagamento que mereciam? A conclusão aliviou a tensão, e ao entrar no Ita considerei não ser legítimo viver dupla vida com o guarda-roupa de um só homem. Ter dinheiro, simplesmente, sem demonstrá-lo, seria prazer para um avarento ou colecionador de cédulas, não para alguém que pretendesse gozar a vida.

Ao voltar ao apartamento, contei o troco de duas notas de quinhentos, e mirando-me de corpo todo no espelho senti-me como nunca um pobre-diabo, um ex-aluno do Liceu de Artes e Ofícios, que se expunha a enorme risco apenas para ver as crianças comerem doce na confeitaria. Precisava, pelo menos durante a noite, remediar essa deficiência, separando em linha reta o homem diurno do homem noturno, o do avental e o do esporte de luxo. A diferença entre ter dinheiro e saber gastá-lo, verdade tão primária, foi uma descoberta tão empolgante que não me permitiu dormir até a hora de ir para o Aquário.

O trabalho, se antes era uma caceteação, passou a ser um peso que me vergava os ombros. Ao menor pretexto ou oportunidade, saía do pavimento e ia respirar o ar dos jardins. A chegada dos ônibus com os diabretes aterrorizava-me. E algo dramático agora acontecia: não conseguia responder às perguntas, mesmo as mais elementares, que as professoras me faziam sobre os peixes. Tudo que aprendera e sabia na ponta da língua, como um guia turístico, apagava-se de minha memória. Vivia concentrado na compra das roupas, a aquisição duma pele nova para as noites e fins de semana. Não podia, por exemplo, procurar um alfaiate, fornecer endereço, voltar para provar, ser medido, anotado, apalpado por quem ia receber dinheiro falso. Freqüentava as lojas de roupas feitas, experimentando e reexperimentando as roupas para evitar reajustes e retorno ao local do crime. O mesmo cuidado dedicava às camisas, também confeccionadas. Já nas sapatarias, preferia a dos bairros, onde tudo era mais simples. O importante consistia em jamais fazer duas compras no mesmo estabelecimento. Nem deixar o carro nas proximidades das lojas para que alguma suspeita não induzisse alguém a decorar o número da placa. Preferia os grandes magazines, com seu atendimento mecânico e impessoal, e os funcionários sempre mal-humorados e apressados.

Em menos de um mês, comprei mais roupas do que em toda a minha vida: ternos completos, camisas sociais e esportes, pijamas, cuecas, meias, lenços, robes e toalhas. Para que minha lavadeira não estranhasse tal sortimento, ela que conhecia a miséria de minhas roupas brancas, dispensei-a e mandei todas para a lavanderia.

Quando um dos ascensoristas, certo sábado, vendo-me estrear uma cacharrel, perguntou-me a título de piada se ganhara na loteca, decidi fazer as malas e mudar na semana seguinte. Nada me prendia ali, e com novo endereço podia relaxar a camuflagem, mostrando-me desde o início uma pessoa elegante e zelosa com seus trajes. Mas não aluguei outro apartamento. À última hora, resolvi livrar-me também dos meus cacarecos, que me lembravam a prudência de tio Erich e o penoso trabalho de impressão, e hospedei-me num hotel Classe B, com o conforto do telefone e bebida gelada a qualquer hora.

Entendam aqui que não podia pagar tudo com notas falsas. O hotel, as refeições ligeiras, a gasolina e óleo do carro, jornais e revistas custavam-me dinheiro de verdade. A vida normal, a rotina diária e diurna era mantida com o troco das cédulas de quinhentos. Para ter sempre no bolso esse troco, meu elo com a legalidade, tive que bolar um esquema: todos os sábados e domingos, saía bem cedo com meu Itamarati, rumo às periferias, parava a uns cem metros dum armazém, venda ou simples boteco e comprava um pacote de cigarros. Para um único maço, é claro, nunca haveria troco em estabelecimentos de caixa rasa, mas para um pacote de dez, a operação tentava mais o comerciante. Repetia esse entra-e-sai, com uma quina na mão, dez ou doze vezes, o que me garantia um lucro de quase cinco mil cruzeiros semanais. O inconveniente dessa bolação era a montanha de pacotes de cigarros no banco traseiro do carro. Por mais que fumasse, não daria conta de tanto cigarro, porém, encontrei uma forma: a qualquer pessoa que me prestasse favor ou serviço a gratificação era um maço de Hollywood, Minister ou Continental, à sua escolha.

– Dinheiro não tenho, meu caro. Leve um maço.

Dava cigarros aos camareiros, ao pessoal dos postos de gasolina, engraxates, manobristas e mendigos. Ao passar com meu carro na rua onde morara, vi o Donga, um bêbado crônico, de metro e meio de altura, que vivia pedindo biritas nos bares. Parei o carro e enfiei-lhe nas mãos, sem dizer uma só palavra, um pacote inteiro de Minister, e continuei meu caminho, rindo-me do que fizera. Mas, por mais generoso que fosse, não conseguia distribuir todos os maços, o que fazia dos cigarros o lixo do meu novo *status*.

Pensava em demitir-me do Aquário quando me deram férias. Com trinta dias ociosos à minha frente, pus-me a pensar em objetos e utilidades que me faltavam. Comprei um caríssimo relógio automático e antimagnético, um ventilador, uma máquina de escrever, um toca-discos, uma torradeira, uma balança de banheiro e por fim um televisor a cores. Foram os dias que visitei tia Jê mais vezes. Depois de recolocar o tesouro sobre o guarda-roupa e reabastecido a carteira, voltava a trocar dinheiro nas periferias e no ABC. Precisava de muito troco porque encucara a idéia de mudar de carro. O Ita, tão fora de moda, mas de aspecto marcante, podia chamar a atenção de quem desconfiasse da autenticidade do dinheiro. Mais seguro um Fusca, sem nada de particular que o identificasse. Pretendia comprar dos mais usados, que tem a cara mais comum, mas o exibicionismo ou sei lá o quê, fez-me decidir por um novo. Esse luxo, pois não me deram nada pelo Ita, obrigou-me a trocar mais de cem notas de quinhentos em pacotes de cigarros, caixa de sabonetes, revistas para homens, litros de uísque, pilhas de rádio e toalhas de rosto, nada que ultrapasse cem cruzeiros. Era um serviço cansativo porque usava o carro como camarim, vestindo ora um blusão de couro, ora um paletó xadrez, ora uma camisa estampada. Os óculos escuros punha-os ou tirava-os, sem obedecer a nenhum plano ou coerência. A voz costumava alterar, às vezes muito forte ou rouca, ou com sotaque castelhano caprichado em poucas palavras: "muchas gracias", "asta manãna", "adiós". Apenas duas vezes imitei o tom delicado de um homossexual, mas além de sair-me mal, chamava demasiadamente a atenção.

As centenas de quilômetros que rodei por bairros e vilas distantes, amassando barro em ruas e estradas, fizeram-me enjoar ainda mais do massacrado Ita, dando-me uma grande alegria ao entrar no Fusca. Se alguém me identificara com o carro velho, perdera a pista. Com carro novo, tive também novas idéias. Apeguei-me à melhor delas, uma viagem ao Rio de Janeiro, cidade que visitara uma única vez, na década passada, e que permanecia em minha lembrança com enorme sedução.

Pagando no hotel uma semana adiantado, ganhei a Dutra, sentindo rara e crescente sensação de liberdade. No Rio seria ainda mais insuspeito e com mais direito a extravagâncias. Hospedei-me num bom hotel da Atlântica, e com guarda-sol e cadeirinha redescobri o prazer natural do banho de mar. Para aumentar minha renda de vagabundo, inventei um eficiente processo para trocar meu dinheiro: o cinema e o teatro. Comprava ingresso, entrava e logo saía. Aperfeiçoando o método, simplifiquei-o, trocando as cédulas simplesmente sem ingressar na casa de espetáculo. Fazia isso no mínimo três vezes ao dia, um bom lucro para quem estava em gozo de férias. À noite, porém, eu era mais poderoso que à luz do dia, pois pagava tudo com o dinheiro falso, principalmente restaurantes de classe, bebidas finas e mulheres. A uma prostituta que me agradou de forma especial, dei duas notas de quinhentos, com cativante generosidade. Ela sorriu e perguntou-me se eu tinha alguma fábrica de dinheiro, a que respondi, muito seguro, que sim, mas pedia segredo.

Na praia, vendo as pernas passarem aos pares, e tomando laranjada, passava horas ruminando um meio de substituir o falso pelo verdadeiro em ritmo mais acelerado. Pensei em depositar uma expressiva quantia num banco para depois ir fazendo as retiradas. Mas a idéia não me entusiasmou mais que um minuto. Não podia arriscar-me com gente muito acostumada a lidar com dinheiro, olhos e tato sensíveis e traquejados demais. Bolei, em seguida, outra possibilidade, que me pareceu viável, à qual me apeguei durante três dias antes de pô-la em prática. A inspiração surgiu ao olhar o mar dum azul de desenhos infantis e ver na linha do horizonte um navio. Meu rosto todo formou um sorriso como um jogo de armar e só deixei de focar o transatlântico quando ele desapareceu. Três dias depois, como disse, com um guia turístico na mão, um gorro na cabeça, e máquina fotográfica a tiracolo, entrei numa casa-de-câmbio.

– Quero mil dólares!

O cambista disse-me qual era o câmbio do dia, contou meu dinheiro e entregou-me dez notas de cem dólares. Duma só vez passara cinqüenta cédulas de quinhentos. Arranquei-me dali, como se a caminho do cais ou do aeroporto, mas na verdade à procura de outra casa de câmbio, já vitorioso, porque a operação agora seria mais simples.

– Queria trocar mil dólares por cruzeiros.

Para qualquer outro, a operação apresentaria saldo negativo, menos para mim. Com os bolsos do paletó e das calças entrouxados de notas verdadeiras, retornei ao hotel, ansioso por folhear a lista telefônica. Queria saber quantas casas de câmbio havia na cidade: pretendia repetir a façanha mais vezes no mesmo dia antes de voltar a São Paulo. À noite, já na estrada, dirigindo com todo cuidado como sempre fiz para não provocar os guardas rodoviários, levava no porta-luvas quatro mil dólares. Quatro mil dólares e a solução para transformar em ouro o latão guardado no porão de tia Jê.

Ao chegar a São Paulo, uma das primeiras coisas que fiz foi abrir uma conta num banco. Assim podia fazer retirada em notas de quinhentos, para que sempre houvesse mais verdadeiras que falsas em minha carteira. Se a Polícia me pusesse às mãos, protestaria, indignado, dizendo que recebera as cédulas do banco.

– Veja, senhor delegado... Recebi dez notas de quinhentos dentro desta cinta. Aqui está o logotipo do banco. Pode falar com o caixa. Ele vai confirmar. Eu sou um homem do trabalho, doutor.

A tentação de lidar apenas com dinheiro verdadeiro fazia-me cócegas. Depois, tudo fora tão simples! Mas não tinha coragem de procurar as casas de câmbio de São Paulo. Num sábado, cedo, fui com o Fusca a Santos para comprar mais dólares. Chorei durante todo o caminho. E quem não chora ao usar lentes de contato pela primeira vez? Com um belo par de olhos azuis, que superava como camuflagem o *ray-ban* escuro, e combinava com meu blusão de procedência americana, e falando português não com sotaque inglês, mas com dificuldade do estrangeiro, comprei cinco mil dólares. O mesmo disfarce usei no final de minhas férias em casas de câmbio de Curitiba, Paranaguá e Blumenau. A conversão do dólar em cruzeiro foi feita em São Paulo mesmo, naturalmente sem motivo de suspeita.

Quando reassumi o cargo no Aquário Público, o bom Arlindo veio receber-me com o sorriso que me reservara durante todo o período de férias.

– Saiu o aumento!
– Não diga!
– Vinte e dois por cento. Para mim, basta.

E para mim, bastava? Vi um ônibus escolar estacionar no jardim, lotado de alunos do primário, que o abandonavam em gritaria, seguidos por duas aflitas e ineficientes professoras. De fato, ser um modesto funcionário do Aquário, com avental branco e honesto, e um salário tão reduzido, chegava a ser uma obra-prima de insuspeição. Mas não tinha mais saco para agüentar. O mês de férias, os róseos trinta dias, com suas fêmeas caras, viagens, praias e coxas, hotéis de classe e alto faturamento acostumaram-me mal. Mais que uma camuflagem, o Aquário seria um castigo, uma autopunição. Sem nada dizer ao afetivo Arlindo, fui ao Departamento Pessoal e pedi a conta.

Ponderando que não podia viver sem emprego, não que o trabalho me fizesse falta, mas para saciar a curiosidade mórbida do próximo, engajei-me numa imobiliária como corretor. A empresa não exigia nada além duma razoável apresentação e o certificado de propriedade dum carro. Ambas as coisas possuía, o que me possibilitou imediata admissão.

Começava assim uma segunda fase de tudo isso. Já não me afobava, como um novo-rico, em fazer compras. Uma única visita mensal numa casa de câmbio resolvia os problemas financeiros. Todavia, certas despesas, digamos supérfluas, continuava pagando com o dinheiro da mala da Jesuína. Minha maior extravagância consistia em trocar de carro de três em três meses, mas por cautela, não vaidade. Decidi também não morar muito tempo no mesmo hotel. Quando notava que os *groons* e camareiros me chamavam pelo nome, fazia as malas e dizia adeus. Um falsário, como um príncipe, não pode permitir intimidades.

A freqüente mudança de hotel dava-me a grata impressão de ser um estrangeiro em minha própria cidade, que só me prendia por ser a mais populosa e caótica do país. Mas quem resiste ao fascínio colorido dum guia turístico? Sempre encontrava alguns deles esparsos nos saguões e bares dos hotéis. São uma boa leitura para ociosos. Ao ler o milésimo, pensei: "já que negociava com dólares, por que não viajar para a Europa?" Gente que ganhava dinheiro ainda mais facilmente fazia isso. Dirigi-me à casa de tia Jê.

Ia chegando, quando vi à porta uma ambulância de prontosocorro. Entrei, trêmulo. Um dos seus inquilinos, caboclo e humilde como a velha, conduziu-me a seu quarto. Ela estava na cama e diante dela, um médico ainda jovem.

– O estado dela é grave, doutor?
– Na idade dela tudo é grave.
– Coração?
– Coração.
– Receite tudo que for necessário.

Paguei o médico e as despesas de farmácia, deixando sobre o criado-mudo algumas cédulas verdadeiras. Meus planos de viagem tinham ruído. Se a velha batesse as botas enquanto eu viajasse, onde iria parar a mala? Nas mãos dos inquilinos? Do dono da casa? Da polícia? Voltei lá no dia seguinte, encontrando-a melhor, mas ainda de cama. Aquele inquilino que me recebera, disse-me:

– Deixe seu nome e endereço, caso aconteça alguma coisa.
– É claro – respondi. Mas não deixei. Seria preferível visitar a guardiã do meu tesouro todos os dias.

Mesmo quando tia Jê pôde levantar-se não pensei mais no turismo. Afastar-me da mala alguns milhares de quilômetros seria fatal leviandade. Era mais barato e seguro curtir prazeres como os livros e os discos. Comprei romances e *long-plays* que preencheram parte de meu tempo. A passear pela Via Vêneto, escolhera a leitura e a música num hotel de segunda classe. Já chegava à melancólica conclusão de que as grandes satisfações são íntimas e solitárias, quando, numa tarde, olhando casualmente as paredes do hotel, por efeito de luz e sombra, vi pequenas formas oscilantes se movimentarem em velocidades diversas. O sol de fim de dia, batendo às vidraças, criava desenhos alongados, aos quais a leve e trêmula cortina dava metro e meio de ação. Aquilo, difusamente, lembrou-me o Aquário, com seus peixes e reflexos, aquelas jaulas de água que sempre me provocaram estranha e profunda inquietação. Larguei o livro e fiquei a olhar a parede, perguntando-me por que fabricara vinte mil cédulas de quinhentos cruzeiros, com tantos riscos, se parecia continuar no ponto de partida?

Fechei o livro e desliguei o toca-disco. A procura, se havia uma procura, devia ser exterior, olhos e pele, não uma viagem para o interior do próprio ego. Talvez algo piegas, amar e ser amado, como ditam as verdades mais simples. Saí do hotel com muitas notas falsas na carteira, lembrando de pessoas. Naqueles meses todos, meu contato mais íntimo e demorado fora com prostitutas, mas nenhum nome ou rosto conseguia reconstituir. Essa incapacidade de fixar-me em gente, de travar diálogo oral ou mudo, talvez fosse causa e conseqüência do vazio que ia se abrindo à medida que nada mais tinha para comprar.

Entendi que precisava misturar-me com as pessoas, romper com o pequeno conforto obtido, sem os disfarces e cautelas, sem os olhos azuis do passador de notas falsas. Um colega da imobiliária, com quem tinha vago relacionamento, conseguiu-me um convite para visitar um clube esportivo. Caso me sentisse bem lá, pensei, compraria um título de sócio-proprietário, ambição de tanta gente sem dinheiro. Fui ao clube numa noite bastante movimentada, sentindo logo à porta um ambiente de camaradagem total. Circulei entre as mesas, passei pelos salões, fui ver as quadras e a piscina, mas não encontrei uma só pessoa que, igual a mim, sem companhia, sentisse necessidade presente de contato e diálogo. Acabei sentando-me a uma mesa, como mero observador de tudo, até que minha atenção se cansou e comecei a beber demasiadamente. A bebida, porém, não atenuou minha frustração, e teria deixado o clube de olhos no chão, se não tivesse pago a despesa com uma nota falsa. Era uma forma de vingança que sistematizara quando pessoas e ambientes me ignoravam ou repeliam.

Voltei, no entanto, a sair todas as noites a pé ou desesperadamente de carro. Freqüentava os cinemas e não perdia as peças teatrais em cartaz, mas a vida, na tela ou no palco, era fria e distante demais para interessar-me ou comover-me. Tudo me parecia lamentavelmente ingênuo, postiço ou pretensioso. Preferia ver gente de verdade, não personagens com seus destinos predeterminados. O fim dessas fugas ou buscas era sempre nas casas noturnas, onde a bebida acaba diluindo as emoções e o próprio tempo. Não me divertia, confesso, nunca me divertia, porém sempre voltava. Creio que visitei tudo o que me chamavam de boate, *night club*, bistrô, *cave*, inferninho, *american bar* e casas de samba. Não me lembro, acreditem, de nenhum garçom ou caixa que pela visão e tato tivesse estranhado as cédulas de minha fabricação. Já nem temia que isso pudesse acontecer. O que me causava estranheza, isso sim, era que aquelas pessoas pagassem com dinheiro verdadeiro uísque e emoções falsificadas.

    Andava bebendo demais, já convencido de que o álcool podia ser substituído por outros prazeres mais refinados e completos, quando um fato veio encerrar aquela fase de solitária e compulsiva boemia. Eu já me dispunha a sair duma boate, num fim de noite, no momento que a vi junto ao balcão. Refiro-me à loira flamejante que insistira em não me notar no La Licorne, quando ainda com roupas baratas começava minha aventura financeira. Desta vez estava decidido a não perdê-la. Com toda a naturalidade, apesar da distância, fiz-lhe sinal para que sentasse ao meu lado. Ela moveu-se em minha direção, como quem reconhece um amigo. Foi como um planeta que se aproxima de outro, causando tormentas, erupções e terremotos. Deviam ser os recalques do moço do Aquário, do rapaz de avental, que se transformavam em lavas depois de tantos anos de isolamento e compressão.

    Estávamos em Petrópolis e andávamos de charrete, eu e Celeste, seu verdadeiro nome, pois o de guerra, para uso noturno, que era Cláudia, concordamos em esquecer. Viajávamos pelas cidades praianas e de veraneio, sem coragem de afastar-me muito e por muito tempo de tia Jê e de sua mala. Comprara mais alguns milhares de dólares, logo convertidos em cruzeiros, e abandonei o emprego na imobiliária. A presença de uma mulher, sempre a meu lado, não exigia outra camuflagem. O hotel trocara por um apartamento mobiliado, alugado em nome dela. Assim, sem endereço, era como se vivesse no espaço, lugar mais seguro para um passador de dinheiro falso. A ela só dei algumas notas não verdadeiras nas primeiras noites que dormimos juntos. Acho que foi minha generosidade de estelionatário que a seduziu. Mas, como não soubesse donde vinha minha renda, desconfiava que fosse contrabandista. Não era, porém, matéria que a afligisse.

    — Você realmente me ama? — ela inquiriu na charrete. — Nunca me disse isso, Régis.

Inventara esse nome. Evidentemente não me chamo Régis.

– Eu amo – afiançava no controle do romântico veículo.

– Diga com mais força!

– Amo!

– Está melhor, mas repita!

– Amo.

Na verdade suas dúvidas procediam. Tivera a sensação de amá-la apenas nas setenta e duas primeiras horas. Depois, pesando as conveniências de ter uma mulher, substituí o amor pela polidez, coisa que se aprende até em manuais. Maneiras consomem menos que arroubos. Dei a Celeste vestidos caros, perfumes franceses, anéis, broches e colares. Numa tarde em que me acusou de frieza e indiferença, dei-lhe uma automóvel. Não se comovam, já programara o presente. Usando quando necessário o carro dela, meu nome desaparecia de documentos de propriedade, licença e seguro. Régis não tinha carro, só dirigia charretes. As fichas de hotel que preenchia em viagem, faziam-o de forma ilegível, trocando números do registro geral. Como abandonei o emprego, livrei-me do imposto sobre a renda e do CIC. Nas eleições, fui com Celeste até o colégio eleitoral, circulei pelos corredores, mas não votei. Nada de assinaturas e contatos com autoridades. Se pudesse, falsificaria meu atestado de óbito, que levaria comigo para provar, a quem interessasse, que eu não existia mais.

Quanto à Celeste, não me crivava de perguntas sobre meu passado. Em compensação, nada queria saber sobre o seu nem como fora parar na noite, apesar do seu curso ginasial e de falar inglês e francês quase com desembaraço. Só num tema ela insistia, demonstrando à luz do dia a carência que à noite soubera ocultar: – você me ama? Não me custava dizer que sim ou dar-lhe outro presente.

Foi esfregando uma flanela no guidom do carro de Celeste que adquiri um hábito: passar o lenço ou um pano qualquer em tudo que tocasse. Inocentemente as pessoas vão deixando impressões digitais em toda a parte, o que pode causar embaraço mesmo às que nada fizeram. O cinema dá exemplos disso. Decidi não deixar impressões nem em papel higiênico. Apenas no corpo nu de Celeste eu tocava com a palma das mãos e as pontas dos dedos sem precisar depois esfregá-lo com a flanela. Mas, se fôssemos a restaurante ou boate, cuidava de não tocar em nada. Antes de sair, disfarçadamente passava o lenço em copos e talheres. Portas, deixava para porteiros abrirem; ganham para isso. Se eram portas móveis, usava os cotovelos. Mesmo sozinho em meu apartamento, evitava marcas comprometedoras. Tínhamos uma criadinha, tímida crioula do interior, em quem consegui a custo incutir a obsessão do espanador e da flanela. Talvez, sem saber, foi minha única aliada.

Certa tarde de domingo, soubemos ao voltar que um dos apartamentos fora assaltado. Os ladrões tinham levado eletrodomésticos e algum dinheiro. Foi uma oportuna advertência. Se minhas cédulas fossem roubadas, os próprios ladrões alertariam a polícia. Nunca imaginara essa possibilidade. Daí o perigo de deixar, como era de hábito, algumas notas falsas no apartamento. Tinha que levá-las comigo e no menor número possível. E se me assaltassem na rua? Havia esse perigo também. A solução foi não guardar nem portar nenhum dinheiro da guitarra, a não ser quando ia comprar jóias ou trocá-lo por dólares.

Os melhores dias dessa fase passei-os com Celeste na Ilha Bela ou Iguape, fora de temporada, em hotéis onde não se conferiam documentos. O único trabalho era telefonar para uma vizinha de tia Jê para indagar como ia de saúde, o que fazia invariavelmente de três em três dias. Para essa atenciosa vizinha eu não tinha nome, era apenas o afilhado de tia Jê. Para a própria velha, para a esclerosada senhora, eu nunca fora Emerich, mas Rique, Riquinho e outros diminutivos que improvisava segundo a carga afetiva do momento. Dos meus pais, falecidos há mais de vinte anos, Jê nunca soubera ou guardara o sobrenome, e a casa onde viveram, quando ela os servia, há muito cedera espaço a um viaduto. Não possuía também, deles ou meus, retratos ou cartas. Nada.

Como um homem sem nome ou identidade, transparente como as enguias do aquário, sem deixar rastros, pistas ou impressões digitais em nenhuma parte, podia controlar a respiração e viver em segurança. Principalmente quando andava sobre a areia, às vezes via minha sombra alongada a acompanhar-me. Quase assustado, corria para o mar, cobria-me de espuma, como se ela, a sombra, pudesse ter qualquer tipo de procedimento que chamasse a atenção dos tiras. Via-me algemado, diante dos jornalistas: "Não cometi um único erro, mas a maldita de minha sombra, não suportando a tensão, rebelou-se e foi contar tudo na delegacia mais próxima". Era a imaginação, sempre à procura duma brecha no muro de segurança dos meus planos. Na verdade, só corria perigo ao dormir. Quando criança, tinha o hábito de falar durante o sono. Para evitar esse risco, assim que Celeste adormecia, apanhava qualquer abrigo e ia cochilar na sala ou na biblioteca. Geralmente, voltava para a cama antes que ela acordasse para não dar explicações.

Diverti-me bastante nessa temporada na praia, e vendo Celeste divertir-se, de rosto lavado e sorriso límpido, tão diferente da Cláudia que eu conhecera, uma boa moça de pés no chão, pensei em casar-me com ela. À noite, enquanto assistia a uma telenovela, tão envolvida em tramas primárias, tão infantil e ansiosa, mais uma vez o pensamento me veio. Depois ela me segurou a mão para me transmitir suas fúteis apreensões de quem teme ou espera o que vai acontecer no vídeo. Mas aos poucos fui livrando os meus dedos dos seus. Com o casamento eu deixaria de ser apenas "meu querido Régis". Teria que identificar-me para ela, dar-lhe meu sobrenome, zelosamente oculto, levá-la ao cartório e emaranhar-me outra vez entre datas, assinaturas e carimbos. Talvez, contas conjuntas no banco. Meu segredo ficaria partido, dividido em metades, o que permitiria olhá-lo por dentro, e um segredo compartilhado é um segredo desvendado. Celeste também tinha seus mistérios, e na intimidade que nascera sob o guarda-sol, resolveu, aninhada em meu ombro, falar de sua infância e juventude até o momento em que se prostituíra.

– Não me conte nada – disse eu.

– Quero que saiba tudo que fiz até agora.

– Por quê?

– Todas as pessoas gostam de confessar. Se não fosse assim os padres não teriam trabalho. Nunca se confessou?

– Não sou católico.

Celeste não entendia. Achava que todas as pessoas erram e depois têm problemas de consciência, numa lógica de catecismo. Agora que eu lhe dera uma vida boa, resolvera remexer o passado, e seus pecados vinham à tona. Tentando furar minha resistência, referiu-se a alguns amantes que tivera, um deles industrial, com quem costumava viajar.

— Não me interessa.

Minha indiferença atormentou-a. Mas, como toda mulher, fixava-se nos mais tolos objetos. Dia a dia mais família, já sem seus cabelos loiros, que na realidade eram castanhos, quis apresentar-me uma tia, chacareira de Suzano. Recusei-me a conhecê-la. Usou, depois, de outros recursos, para aproximar-se mais de seu protetor. Após o jantar, mal acabara de engolir a sobremesa, já me trazia um uísque. E sem consulta logo o renovava. Queria que, bebendo, eu baixasse a guarda e me abrisse como uma couve-flor o tal livro aberto dos corações enamorados. Experiente, sabendo que o álcool solta a língua, excita o ufanismo e induz a confiar no semelhante, não ia além da segunda dose. Celeste bebia apenas para que a acompanhasse, sem resultado. Reconheço que era um amante pobre de assunto, pois é no passado que se costuma pescá-los, mas não podia permitir que invadisse o meu. Caso a polícia um dia aparecesse, teria que deixá-la. E eu não cometeria o erro do delinquente romântico, que é agarrado por causa duma longa despedida ou porque, louco de saudade, tentasse rever a mulher.

Se não era muito afetivo com Celeste, tratava-a com a referida polidez de alguém que foi visitá-la e resolveu morar no mesmo apartamento. Apenas perdi totalmente o controle num sábado à noite quando ao voltar encontrei Celeste na sala com um casal de vizinhos, os três, com salgadinhos e beberetes, música de fundo, como amigos de longa data.

— Este é Régis, meu marido.

Ele:

— Muito prazer.

Ela:

— Já conhecia-o do elevador.

Eu não conhecia ninguém, jamais vira ou cumprimentara um vizinho. Nem ao zelador já dissera bom-dia. No entanto, o casal estava lá, acomodado em minhas poltronas, propondo-nos programas teatrais, jantares e passeios. Haviam casado recentemente e depois da lua-de-mel descobriram que não só de sexo vivem as pessoas: Queriam amigos. E nós estávamos lá para servi-los.

— O senhor é daqui de São Paulo?

— Onde trabalha?

– O senhor é Régis de quê?
– Como o mundo é pequeno, acho que já o vi em Niterói.

De fato, já comprara dólares em Niterói, mas o pior era a idéia, a lembrança de que o mundo era pequeno, coisa que pretendia esquecer.

– O senhor também compra roupas na loja tal?

Eu comprara vários ternos na loja tal com o dinheiro da guitarra.

– A inflação está terrível, não?

Estava? Eu era a única pessoa no país que não me queixava da inflação, julgando-a um mal incontrolável, cuja culpa não cabia a ninguém. Longe da adolescência, jamais estivera tão de acordo com o governo, convencido por ele, de que os grandes inimigos realmente são os comunistas. E os bisbilhoteiros.

– O que o senhor acha do...

Não achava nada de nada. Respondia com monossílabos ou fingia não entender as perguntas. Às onze horas, disposto a encerrar o suplício, comecei a escancarar a boca como se estivesse morto de sono. Deu resultado. Quinze minutos depois, o simpático casal levantava-se com uma resolução tomada: não voltar mais ao nosso apartamento. Para mim foi um alívio mas não para Celeste.

– Por que os tratou dessa maneira?
– Não gostei deles.
– Mas são muito agradáveis. Trouxeram uma torta.
– Não gosto de tortas. Se você gosta, posso comprar quantas quiser.

O diálogo não terminou aí. Celeste provocou-me até as duas da manhã, batendo na mesma tecla: a vida social e seus prazeres. Acabei deixando-a falando sozinha.

No mesmo mês, alguém no prédio aniversariava e Celeste quis arrastar-me para o salão de festas. Começou a insistir às nove horas, mas só à meia-noite, imaginando que a reunião chegava ao fim, concordei em descer. Enganara-me, a festa ainda ia longe. Fiquei junto às paredes, sem querer ser apresentado a ninguém, e quando Celeste me deu uma folga, voltei ao meu refúgio.

Nosso maior desentendimento porém aconteceu quando Cláudia, digo, Celeste, quis comprar um *cocker spaniel*. Não sou contra os animais, mas um cachorro cria novo elo entre mim e Celeste, entre mim e o apartamento, entre mim e mim mesmo. Vi-me preso pelos tiras na hora em que ia vacinar o *cocker* ou simplesmente passear com ele para fazer xixi. Não me tentava a hipótese de ser chamado pela imprensa como o falsificante que adora os cães. Aliás, decidira sair de casa o menos possível, parecia-me mais prudente. Temia encontrar na rua donos de lojas, restaurantes e boates aos quais passara dinheiro falso. O mundo é pequeno, dissera o vizinho. Uma prostituta, a quem dera uma quina, encontrou-me no bar da esquina e veio cumprimentar-me. Fiquei tão pálido que ela perguntou se estava doente. Aos cinemas só ia uma vez por mês, sempre na sessão da meia-noite. Celeste reagia a essa vida reclusa, mas não precisei argumentar para convencer-se de que era melhor um homem em casa do que sempre na rua. Com todas essas precauções não corria o risco de topar face a face com alguém que me vendera alguma coisa por papel impresso, por dinheiro feito em casa. Apenas uma, é verdade, já ludibriada por mim estava à minha frente: Celeste. E bem que às vezes tinha vontade de perguntar-lhe se estranhara minhas cédulas e que destino lhes dera.

O certo, hoje reconheço, é que fui me tornando pouco tolerável como companhia. Os dois sempre dentro de casa, como um casal de velhos. Uma noite, por sugestão dum comercial de televisão, Celeste aferrou-se à idéia de passarmos uma semana em Buenos Aires. Eu não podia, tia Jê voltara a sentir-se mal. Ela quis passear no Rio. O perigo quanto à velha seria o mesmo. Guarujá? Também não. Qualquer distância era o infinito.

Eu e Celeste não brigamos muitas vezes. Houve apenas uma curta e violenta briga, quase um monólogo, melhor dizendo, porque quase não participei, sentado no divã a ouvi-la.

— Cheguei a pensar que me amava, mas descobri que tudo em você é falso.

— Falso?

— Falso, sim! Suas maneiras, seus sentimentos, sua generosidade... Tudo em você!

Rebati, ofendido:

— E as jóias que lhe dei? Eram falsas?

Celeste amava suas jóias, mas arrancou um belo colar de pérolas do pescoço, repetindo:

– Falso! Falso! Tudo falso!

Ao ver as contas esparramarem-se pelo *living*, ajoelhei-me para apanhá-las, ouvindo, ainda:

– Falso! Falso!

Celeste entrou no quarto e bateu a porta. Continuei de quatro sobre o carpete à procura de alguma conta que faltasse. Depois de recolher todas, coloquei-as sobre a mesa e saí: minha presença só serviria para piorar as coisas. Duas horas mais tarde, quando voltei, não a encontrei no apartamento. Nem ela nem a criada. Fui à garagem: levara o carro. Tornei a subir, pondo-me a beber enquanto a esperava. Não vi as contas sobre a mesa. Voltei ao quarto já crendo no pior. No espelho, escrito com batom, estava a explicação: "Adeus para sempre".

O recado no espelho atirou-me contra a parede. Mas os choques, quando não mortais, são passageiros. Logo em seguida já me sentia liberto: podia inclusive falar durante o sono e pronunciar meu verdadeiro nome em voz alta. Foi o que fiz, descobrindo que tinha um som e um ritmo próprios como todos os nomes: Emerich Müller. Bebia e a cada gole repetia o meu nome, sílaba por sílaba, como se quisesse ajustá-lo, encaixá-lo à minha fisionomia. Era um nome bonito, musical e parecia conter uma mensagem. O "meu querido Régis" morrera. Às tantas, na metade do litro, acordado para sensações labiais ou fonéticas, abri a janela e gritei o meu nome com força e dor sobre a cidade. Tive a ilusão de ouvir o eco de minha voz devolvida pela metrópole grande e vazia.

Como o apartamento estava em nome de Celeste, continuei morando ali. Mas não pude demorar-me nele e é fácil entender por quê. Sempre que a campainha tocava, era uma vizinha querendo notícias da minha Celeste. A puta do La Licorne travara relações com quase todas as mulheres do edifício e auxiliava secretamente a família do zelador. Não dava para suportar. Vendi todos os móveis e fui hospedar-me num hotel. Mas ao olhar pela última vez o apartamento, lembrei-me com tanta nitidez de Celeste que cheguei a erguer a mão para tocá-la.

Foi numa segunda-feira à tarde que uma voz bafejando no meu ouvido ordenou que fosse visitar tia Jê. Não esperei segundo aviso, apanhando um táxi que passava. Viajei inquieto, atormentado pela mensagem telepática. Assim que entrei na casa obtive a confirmação de minha suspeita. Lá estavam inquilinos e vizinhos de tia Jê formando um pequeno grupo que se agitou ao ver-me. Sabiam que aquele moço bem vestido era o sobrinho ou afilhado de quem a velha tanto devia falar.

— Ela está no quarto — disse alguém.

Sem olhar para ninguém, dirigi-me ao quarto, não o de tia Jê, mas ao que ela me alugara. Não era o defunto que desejava ver, mas a mala, a mala dos meus sonhos e pesadelos. Subi na cadeira e retirei-a de cima do guarda-roupas. Felizmente a voz, quem sabe da própria tia Jê, soara aos meus ouvidos para salvar-me. Se chegasse no dia seguinte talvez fosse tarde. Segurando a mala pela alça, a sofrer o seu peso, que indicava quanto dinheiro tinha ainda para gastar, surgi vitorioso na sala.

Alguém me ofereceu uma xícara de café, que recusei. Apontaram-me uma cadeira, não quis sentar. Pelo braço iam levar-me a ver o cadáver, finquei-me a ver o cadáver, finquei-me no solo.

— Ela morreu dizendo o seu nome.
— Que nome?
— Riquinho.
— Ah, sim!

Retirei um maço de dinheiro do bolso, dinheiro de verdade.
— O senhor não vai esperar o padre?
— Lamento, mas vou viajar. — Deixei o dinheiro sobre uma pequena e rude mesa. — Aqui tem cinco mil cruzeiros. Acho que vai dar. Passem bem.

Chegavam mais umas duas pessoas, não podia ficar mais tempo li. Saí mais arrastando do que carregando a pesada mala. Já estava na rua, quando uma mulher que eu vira no porão alcançou-me e perguntou se tia Jê tinha sepultura. Respondi que não e dei-lhe mais dois mil cruzeiros, pedindo desculpas pela minha pressa. Passou um táxi, mas não o apanhei. Só chamei um depois de carregar aquele trambolho cerca de um quilômetro, descendo dois quarteirões antes do meu hotel. À porta, um *groon* fez questão de apanhar a mala e levá-la para meu quarto. Enquanto ele a carregava, notei quanto era grande, o que chamaria a atenção de qualquer serviçal que a visse.

Decidi mudar-me do hotel. Não tinha nervos, e me doía o estômago todas as vezes que o camareiro olhava a mala, ou a espanava, ou me aconselhava que guardasse suas roupas no armário. Em qualquer hotel, ela seria um corpo estranho, algo que ocupava muito espaço e importunava. Uma semana depois, me transferia para um quarto numa casa da Barra Funda, perto de onde tudo começara. Era uma casinha modesta, de porta e janela, que uma viúva idosa sobrealugava para um aposentado da Sorocabana, da sua idade, inquilino há uns quinze anos, e ao agradável senhor que bateu à sua porta segurando uma enorme mala de couro.

A gentil locatária ia fazer-me as perguntas de praxe quando lhe meti nas mãos um mês de aluguel adiantado, procedimento incomum naquele bairro operário. Não me perguntou nada e foi mostrar-me o quarto, amplo, janela sobre um corredor e assoalho de tábuas largas. Em tudo, na pintura das paredes, no fio da lâmpada que pendia do teto, na porta de maçaneta, um cenário familiar e insuspeito, o mais seguro possível para quem tinha ainda umas dezoito mil cédulas para passar. Joguei-me na cama, todo vestido, e dormi até o dia seguinte.

A vida de bairro, o café com leite pela manhã que a dona da casa me servia, alguns banhos de banheiro, logo me animaram e fiz uma breve viagem ao Rio de Janeiro para comprar mais cinco mil dólares, que revendi em São Paulo. O sossego daquela casa me agradava, e a dona e o aposentado não eram pessoas que faziam perguntas. Ele tinha um aparelho de televisão no quarto e limitara seu mundo àquele retângulo. Ela, apenas se esforçava para que seus dois hóspedes se sentissem bem.

À noite, porém, a solidão chegava e eu saía pelas ruas, mas já não ia aos caros restaurantes e boates. Ficava nos botecos freqüentados por homens simples, cujo interesse exterior não ia além do futebol. Mas mesmo a eles não me chegava, ficando sempre às mesas, bebendo. Talvez apenas para puxar conversa, uma noite mostrei uma nota falsa ao garçom dum boteco, e disse:

— Veja como são vagabundas as notas que fazem hoje! Lembra-se das antigas da firma Thomas La Rue? Estas até parecem falsas.

Mas paguei a conta com dinheiro verdadeiro e continuei o meu caminho. Não dissera aquilo por bravata ou autoconfiança.

Queria apenas conversar com alguém, ter um assunto. Os anseios da alma são flutuantes: se às vezes desejava esconder-me, outras necessitava de contato e diálogo.

Morava há menos de um mês na singela casa da Barra Funda, quando certa manhã ao dar por mim, encontrei-me num jardim: era o Aquário Público.

– Onde está o Arlindo? – perguntei a um funcionário de avental que não era do meu tempo.

– Aposentou-se no mês passado.

– Tem o endereço?

– Mudou para o interior.

Ia retirando-me quando vi um ônibus escolar parar e dele descer um bando de garotos seguido de duas professoras que lhe apontando uma placa chamavam inutilmente a atenção para que não pisasse na grama. A mesma indisciplina e algazarra que eu presenciara durante tantos anos. Segui a criançada que as professoras comboiavam para o pavimento, auxiliadas pelo funcionário. Num instante, descobri-me entre elas, como um turista matinal, a percorrer as alas do aquário, e ainda sem entender por que estava ali. Vendo um grupo de estudantes, que se fragmentara, aproximei-me e perguntei:

– Gostam do Aquário?

– É chato – disse um dos meninos. – Preferimos o planetário.

– Mas é muito instrutivo. Vejam! Este é uma enguia, um peixe gelatinoso, transparente. Não é interessante?

Olharam por um momento e depois afastaram-se. Continuei no mesmo lugar, a gozar o frescor do aquário e a rever as espécies que aprendera a conhecer. Com o nó dos dedos, bati no lugar onde a enguia se encontrava, para mostrar que a reconhecera, assustando-a. A enguia ganhou momentaneamente uma estranha cor e depois voltou a ficar transparente.

– Eu posso ver você – murmurei. – Sou uma enguia humana, somos da mesma espécie.

Ao desviar os olhos, percebi que um diabinho de uniforme fitava-me curiosamente, como se eu fosse doido. Saí do pavimento o mais depressa que pude.

Na mesma semana aconteceu não um desencontro, como entre

mim e o velho Arlindo, mas um encontro dos mais inesperados. Cruzava uma praça pública, falseando uma pressa que não tinha, quando ouvi me chamarem com toda a clareza:

– Emerich! Emerich!

Um homem de minha idade aproximou-se de mim, como se quisesse abraçar-me. Não precisaria apresentar-se para reconhecê-lo. O Edgar, meu obeso companheiro de banco ginasial, que conservava aos quarenta a banha e a futil alegria dos doze. Gostava muito dele.

– Quem é o senhor?
– Emerich! Não lembra de mim?

Como esqueceria o afortunado colega, o menino rico da classe, que me dava maçã em troca de dicas e colas nos exames?

– Como é seu nome? – perguntei.

Ele levava sempre no bolso o retrato duma mulher nua, arrancado dum livro científico, o que o tornou muito popular na escola. Uma vez me emprestou a foto por um dia, favor que não concedia a ninguém. Gastei-a com os olhos.

– Sou o Edgar! Olhe, seus cabelos estão embranquecendo, mas o reconheci logo que passou.

E se eu tingisse os cabelos totalmente de branco ou os escurecesse como eram aos vinte? Como seria melhor para que ninguém mais me reconhecesse?

– Faça uma força! O Edgar das maçãs!

Ele costumava copiar minhas provas, e como tinha melhor letra, conseguia notas mais altas. Sempre achei muito injusto.

– Desculpe, mas não lembro.
– Mas é o Emerich?
– Se sou o Emerich?
– Fique com meu cartão. Se algum dia lembrar de mim, telefone-me.

Li o cartão: – Edgar Xavier, agente de seguros, residência e telefone. Ah, meu caro Edgar! Quanto teríamos para conversar! Estaria casado? Quantos filhos teria? Como estaria de vida? E que fim tivera a página do livro científico que costumava emprestar para exercícios masturbatórios? Tanta coisa para lembrar, sorrir e reviver! Rasguei o cartão.

Sem nada para fazer e desvinculado de tudo, dei para freqüentar as igrejas, principalmente à tarde. Cristo também falsificara ao multiplicar pães e vinho, por isso saberia perdoar-me quando chegasse a hora. Ficava longo tempo sentado nos bancos, vendo os fiéis entrando e saindo. Isso me dava paz e algum entretenimento. Se houvesse algum casamento, misturava-me com os convidados e entrava nas filas para cumprimentar os nubentes.

– Muitas felicidades. Meu nome é E-me-ri-ch, soletrava.

Tão cordial e espontâneo mostrei-me certa vez, que me convidaram para ir à festa, após a solenidade. Fui, e durante horas convivi com pessoas bastante simples, mas comunicativas. Ergui uma taça de champanha barata, comi uma fatia do bolo nupcial e dancei com a noiva, ainda com seu vestido branco. Se fosse possível esconder duma mulher algo tão material e pesado como minha mala de dinheiro –, quem sabe me casasse com uma das moças do bairro e tudo tivesse um fim muito feliz.

Ia certa tarde pela rua, de volta dos meus passeios, quando o Donga – lembram do Donga? –, ainda mais baixo e cheirando a aguardente, como sempre, saltou à minha frente, olhando-me de mau humor.

– Quase fui preso por sua causa!
– Tem certeza que foi por minha causa?
– O senhor me deu um pacote de cigarros.
– Não gostou da marca?
– É que um pacote tem dez maços, irmão.
– Ah, você sabe contar!
– Quase me encanaram por isso.
– Por que, Donga?
– Um tira sujo me pegou e disse: você não tem gaita nem para um maço, como pode comprar logo dez? Donde roubou o pacote?

A estória era comprida e não tive paciência de ouvi-la. Sei que escapou da delegacia graças a um desses curiosos expedientes dos pobres.

– Desta vez não lhe darei cigarros. – Abri a carteira e mais para ver o Donga perplexo, e me divertir com isso, dei-lhe uma quina fabricada pela guitarra. – Deve lhe estar faltando isso para adquirir sua cirrose – disse, ciente de que não me entenderia.

E afastei-me.

Na manhã seguinte, acordei com uma sensação agradável que atribuí ao dinheiro dado ao nanico, embora como pilhéria. Depois de gasto todo o tesouro, não sofreria mais o remorso de não ter ao menos uma vez praticado a caridade. Era como se doara sangue a um agonizante, não do tipo Universal, é evidente.

Acho que foi na casa da Barra Funda, com a viúva e o aposentado, que vivi meus dias mais tranqüilos. Por mais curiosa que fosse, e ela não era, minha senhoria não teria forças para tirar a mala de cima do guarda-roupa. O aposentado era um falecido que não perdera o hábito de assistir televisão. Notas falsas não passava mais, a que dera ao Donga fora quase um suvenir. Minha única operação financeira era a compra e venda de dólares, cada vez mais distanciadas. Mesmo um falsificador de dinheiro pode ser pessoa econômica e não contribuir para o aumento dos índices inflacionários do país. Carro, não comprei mais, para não ostentar, não assinar documentos nem queimar nossas reservas petrolíferas. Passada a febre do gasto e dos prazeres, contentava-me em não correr da casa para o trabalho e do trabalho para a casa, como a maioria. No entanto, voltei ao Aquário Público.

— As crianças vêm hoje?
— Hoje não — respondeu o funcionário.
— Adeus, amigo. Volto outro dia quando elas estiverem.
— Não vai entrar?

Quando me jogava na cama, ficava imaginando o fim que teria meu dinheiro, se morresse. Ria até, vendo a polícia abrir a mala do falecido, os *flashes* e a merecida fama póstuma. Mas se a morte não fosse súbita poderia doar o dinheiro a uma instituição de caridade, considerada de "relevante valor humanitário". Deixaria a mala à porta dela com um bilhete: "Cheguei à conclusão de que o dinheiro não faz a felicidade. Dêem melhor proveito ao que acumulei numa vida de lutas e sacrifícios". Outro bilhete, que imaginei mais tarde, podia ser o ponto de partida duma grande intriga internacional: "Este é o dinheiro que os americanos me deram para revelar segredos de Estado. Minha consciência falou mais alto". Poderia simplesmente esquecer a mala num banco da praça ou no Metrô. E por que não remetê-la ao próprio Tesouro Nacional para que economizasse papel nas próximas emissões? Sobrou-me uma idéia cinematográfica: atirar o dinheiro do último andar do edifício mais alto da cidade na hora do *rush* duma véspera de Natal. Eu seria o próprio Papai Noel disfarçado em terno de passeio e com barbas raspadas.

Todas as idéias eram boas, já que provinham dum ocioso, mas não podia pensar na morte com uma saúde que, se não era de ferro, era de bom metal. A morte não me atraía, o que me faltava era uma forma nova de entretenimento, que acabei encontrando: a Bolsa. Sim, a Bolsa. A gente aprende tudo depressa quando nada tem a fazer. A Bolsa era o lugar ideal para passar algumas horas, no meio de estranhos e sem o perigo de amizades comprometedoras. Depois, a sorte é sempre a maior emoção. Jogava e ganhava sempre com uma segurança que se redobrava. Não sei de outra pessoa física que tenha ganhado tanto dinheiro em ações como eu naqueles meses em que a Bolsa tornou-se loucura e mania de tanta gente. É verdade que outros faturaram mais, porém acabaram perdendo tudo. Eu soube parar: tinha dinheiro para comprar um apartamento e viver de prazo-fixo ou letras de câmbio até a velhice e podendo explicar ao Imposto Sobre a Renda, caso necessário, onde arranjara a boiada. Tudo muito legal, inclusive uns vinte mil dólares que ainda não convertera em cruzeiros e o já convertido, mais de duzentos mil em minha conta corrente. Como soubera parar na Bolsa, aquele talvez era o momento de livrar-me do tesouro, atirando a mala ao rio, como fizera com a guitarra e seus componentes.

Na noite em que assumi essa resolução, retirei a mala de cima do guarda-roupa e fiquei olhando o dinheiro. Ocorreu-me logo que não poderia livrar-me daqueles quilos todos de dinheiro com o mesmo recurso fluvial empregado com a guitarra. Já não tinha carro e não era proeza que se realizasse de táxi. Também não poderia jogar o dinheiro no lixo ou queimá-lo no quintal. É incrível a fumaça que faz uma nota de quinhentos. Já queimaram alguma? Dez era quase a fumaça do incêndio do Andraus. Teria que picar ou queimar as notas no cinzeiro, jogando os pedacinhos ou as cinzas na privada. Comecei destruindo cinqüenta cédulas por dia, mas nesse ritmo o trabalho não teria fim.

Criou-se em mim uma nova neurose: a liquidação do tesouro. A princípio só picava ou queimava o dinheiro à noite, mas, apavorado com o tempo que consumiria, resolvi trabalhar em qualquer horário e mesmo fora de casa. Ocorreu-me que os mictórios públicos ou dos cinemas eram bons escoadouros. Picava as cédulas em mil pedacinhos e puxava a descarga. Atirei uns cem mil cruzeiros numa das bacias do Metrô São João. Fiz o mesmo no Art-Palácio, Regina, Ouro e no teatro São Pedro, perto donde morava. Como antes, que comprava ingressos apenas para trocar dinheiro, sem assistir aos filmes, agora comprava ingressos somente para destruí-lo. Adquiri o hábito e a habilidade de picar as cédulas no bolso, parado ou andando, atirando os pedacinhos contra ou a favor do vento. Numa madrugada, atirei umas cinqüenta notas picadas do alto do Viaduto do Chá. Era um dos melhores lugares para livrar-me do dinheiro.

Numa fogueira de junho ao redor da qual meia dúzia de meninas esquentavam-se às chamas, um adulto aproximou-se e demonstrando seu amor provinciano pelas festas juninas, atirou um monte de papel picado às labaredas. Numa tarde de chuva, joguei milhares de cruzeiros à enxurrada, embora resistindo ao poético desejo de fazer barquinhos com o dinheiro falso. Numa visita ao zoológico, descobri que o tigre e o jaguar gostavam de comer cruzeiros, já o macaco apanhou uma das notas da guitarra e subiu com ela, peralta, para o alto da gaiola. Sumi do zoo a toda pressa, concluindo que nem nos ancestrais do homem se pode confiar.

Mais tarde, inventei uma brincadeira: acender cigarros com as notas, o que gostava de fazer, nas ruas, diante de bêbados e mendigos para que sentissem e sofressem a injustiça dos desníveis sociais. A ânsia de acabar logo com a fortuna de Ali-Babá levava-me aos bairros mais distantes, onde a tarefa podia ser realizada com maior segurança. Num sábado em que minha senhoria foi à feira e o aposentado dar um passeio, abri todas as janelas e queimei cem mil cruzeiros. Nesse dia queimei meus disfarces, destruí os óculos *ray-ban* e joguei as lentes de contato na bacia.

Antecipando os caminhos da legalidade, pus todo o meu dinheiro a render juros, em diversas aplicações e modalidades bancárias, e saí à procura dum apartamento para comprar. Foi num desses dias de retorno que reencontrei o gordo Edgar do ginásio. Desta vez, eu que fui a seu encontro e abracei-o fortemente.

— Então lembra de mim? — estranhou.

— Mas é claro, meu velho!

— O que tem feito da vida, Emerich?

— Jogado na Bolsa.

— Cuidado! Meu sogro jogou e perdeu tudo o que tinha.

— Eu já parei. Nunca fui muito ambicioso, você sabe disso.

O encontro com o antigo colega reanimou-me. Pensei, na mesma onda de afetividade, em procurar o Arlindo, no interior, e talvez Celeste. Sim, Celeste. Se ela me aceitasse, o que era provável, sem a máscara do "meu querido Régis", casaríamos, e tinha a certeza que poderia fazê-la feliz.

Abri a mala, vendo o fundo. Restava menos de um milhão. Em poucos dias, estaria livre de tudo. Viveria de rendimentos, não vultosos, mas seguros, provenientes do dinheiro honesto da Bolsa. Valera a pena andar de costas todo o tempo: não deixara pistas.

Certa manhã, saí com os bolsos do paletó e das calças abarrotados de notas falsas com a intenção de desfazer-me num só passeio de mais de cem mil cruzeiros. Em todos os bares entrava para ir ao mictório, picava o dinheiro e jogava na bacia. Algumas descargas não funcionavam, o que me obrigava a jogar água, com as mãos em concha, até que os pedaços ficassem irreconhecíveis. Eram precauções que não devia abandonar agora que chegava à reta de chegada. Voltei para casa quase ao meio-dia, disposto a continuar o trabalho durante a tarde.

A viúva, na sala, esperava-me, angustiada. Sua palidez intrigou-me.

— Tem dois homens aí.

— Aí, onde?

— No seu quarto — respondeu apreensiva, baixando a cabeça.

Meu primeiro impulso foi o de desaparecer pela porta ou saltar a janela, mas um dos homens saiu do meu quarto e caminhou em minha direção.

— Seu nome é Emerich?

Ia dizer que não, ia negar, quando vi o outro homem também sair do quarto: com minha mala.

A mala estava aberta sobre a mesa do delegado. Ele e os dois tiras examinavam algumas cédulas contra a luz da janela, pasmados com a qualidade do trabalho. Logo entrou um moço que me pareceu ser jornalista: também apanhou algumas notas, caindo no mesmo pasmo quando as confrontou com uma de sua carteira. Entreolhavam-se como atores mal ensaiados duma peça teatral e olhavam-me com a admiração que meus antigos patrões sempre me negaram.

— Há algum mal em guardar dinheiro em casa? Não confio nos bancos!

— Não há dúvida que foi um serviço muito bem feito — disse o delegado. — Parabéns, senhor Emerich! Mas aconselho-o a contar tudo.

— Acha que o dinheiro é falso?

— Eu teria aceito uma dessas cédulas, mas são falsas, como nossos técnicos vão comprovar.

Puxei um cigarro do maço, que o delegado se apressou em acender com seu isqueiro. Ninguém falava, apenas me olhavam. Pensava numa saída. Mas as rápidas tragadas não me traziam nenhuma solução. Um teste de ácido daria a vitória ao laboratório. Ou o simples jato do infravermelho. Derrubei meu rei no tabuleiro.

— Como é que descobriram?

O delegado não respondeu, já preocupado com o depoimento. Um escrivão sentou-se a uma pequena mesa diante duma máquina de escrever. Fizeram-me sentar a seu lado. Um tira pôs-me na mão uma xícara de café. Percebi que eu pertencia à elite da delinqüência e portanto seria tratado como um cavalheiro. Fiz um belo e minucioso depoimento. Belo, porque prestava homenagem ao tio Erich, o verdadeiro artista, de cuja obra eu era mero divulgador.

— Foi o maior gráfico deste país, mas não teve grandes chances.

Mal terminara a confissão, a porta abriu-se para um bando de fotógrafos e dois cinegrafistas da televisão. Imaginei o aposentado, com a viúva ao lado, vendo-me no telejornal. Celeste, Edgar e todos os comerciantes, prostitutas, joalheiros e cambistas, aos quais passara as minhas quinas. Não me envaidecia, modesto por natureza, mas sabia que pelo menos durante vinte e quatro horas seria um cartaz nacional.

Ao dormir a primeira noite no xadrez, ainda não sabia onde errara e como tinham me localizado. Essas indagações não me fizeram dormir. No segundo depoimento, na manhã seguinte, disse ao delegado que negaria tudo e complicaria o trabalho da polícia se não esclarecessem como haviam me apanhado. Era a única pergunta que tinha a fazer.

O delegado, muito cortês, serviu-me um café, com suas próprias mãos e pediu-me calma. A pessoa estava chegando. Que pessoa? A que me denunciara. Quem era ela? Preferiu não dizer e entregou-me o novo depoimento para assinar.

Foi uma espera torturante. Acendia um cigarro atrás de outro, tentando adivinhar quem dera à polícia a dica fatal. O garçom a quem mostrara o dinheiro falso? O Arlindo, que estranhara minha inesperada demissão do Aquário? Algum inquilino de tia Jê que ficara sabendo de meu verdadeiro nome numa sessão espírita? Afinal, quem me dedara?

A porta foi empurrada e entraram dois tiras, os mesmos que tinham ido à casa da viúva, e depois deles, assustado e indeciso, o delator. Saltei da cadeira como se tivesse molas nas pernas, e apertei-lhe o pescoço com garras de gorila. Houve uma confusão na sala, e uma porção de mãos puxaram-me com força, impedindo que cometesse um crime.

O homúnculo esquivou-se para um ângulo da parede, ofegante, a implorar proteção dos policiais.

— Como você soube? — perguntei.

Donga friccionava o pescoço sem responder.

— Conte para o moço — ordenou o delegado.

O anão de Branca de Neve não tinha coragem nem para olhar-me.

— Um dia ele me deu um pacote de cigarros — balbuciou.

Isso não explicava nada.

— Sim! Dei-lhe o pacote! E daí?

— Quase fui preso porque acharam que tinha roubado os cigarros. Então o senhor me encontrou e me deu aqueles quinhentos cruzeiros.

Claro que lembrava disso:

— E você estranhou o dinheiro? Notou que era falso?

Donga sacudiu a cabeça como se quisesse livrar-se dela.

— Como poderia estranhar se nunca tinha pegado nas mãos uma nota tão alta?

— Então, por que me delatou?

O micrômegas procurou palavras para explicar-se:

— Bem... O que sempre recebi foram níqueis. Nunca alguém foi tão bom comigo. Ora, uma quina! Dava para desconfiar. Aquele tira que me quis prender por causa dos cigarros vivia me aporrinhando. Mostrei o dinheiro a ele.

Outros fotógrafos entraram, melhor dizendo, invadiram a sala. Os *paparazzi* e a estrela. Quiseram fotografar-me ao lado do alcagüete. Isso não, discordei, fugindo das objetivas. O delegado entendeu e mandou que levassem o infame Donga a outra sala. Agradeci: não suportava ver o fantasma do acaso em minha presença. Expus-me novamente aos *flashes* até que os fotógrafos se saciassem, e voltei a ficar a sós com o delegado.

— Quando desconfiamos que o dinheiro era falso, começamos a procurá-lo por toda a parte. Pelo retrato falado que o Donga nos forneceu, localizamos a casa onde morou com seu tio. Mesmo assim, já sabendo seu nome, foi difícil encontrá-lo. Parecia ter se tornado transparente.

Sorri por um instante.

— Era minha intenção, doutor. Mas não consegui.

Fui conduzido à cela, onde me deram para ler os jornais do dia. Aparecia em todos eles, alguns na primeira página. Vi o retrato de pessoas que haviam privado comigo como a viúva, o aposentado, um gerente de hotel e o síndico do edifício onde morei com Celeste. Todos declaravam que eu era um homem de fina educação, simpático e sem vícios. Não diferia muito da opinião que sempre fiz de mim mesmo.

Não sei quantos anos passarei na penitenciária. Sem dúvida a pena será longa, a julgar pelo ceticismo de meu advogado. Mas, quando for posto em liberdade, mesmo muito idoso, juro — creiam em mim — serei outro homem. Jamais ajudarei ninguém como fiz com o maldito Donga. Foi a lição que me ficou de tudo isso.

O locutor da madrugada

*Para
Beatriz Camargo Rocha Correa*

O prefixo (o velho *Sentimental Journey*) já estava no ar, precisava dum impulso. No sábado passado, recorrera ao uísque, mas só conseguira uma bela dor no fígado. Quem não tem cancha enrola a língua logo na segunda dose, amolece, e ela ia depender das palavras. Colocou-se diante do espelho, vendo-se inteira, à luz do abajur. Já sabia o que ia fazer. Foi desabotoando a blusa, cinco botões, cinco obstáculos, mas uma enxurrada de comerciais rompeu a corrente. Permaneceu imóvel, como manequim de vitrina, à espera de novo estímulo. Ouviu a voz dele, amável e máscula, cumprimentando os ouvintes. Seus dedos voltaram a movimentar-se em câmara lenta. Deixou cair a blusa macia no carpete.

Nova imobilidade, mas não passiva, não covarde, apenas para retomar consciência, talvez para curtir a sensação. Contorceu o corpo à esquerda e puxou o zíper da saia, já com certa graça, mais leveza, os dedos mais soltos. Segurando a respiração, fez a saia deslizar sobre as ancas, como se a puxassem para baixo. Ergueu um pé, depois outro, e livrou-se dela. Então sorriu para o espelho, um sorriso calculado, muscular, retido. Não era aquilo ainda: tinha que abrir mais a boca, exibir a língua, os dentes, começar a mostrar-se por dentro. A segunda tentativa a satisfez. Num gesto contínuo, retirou o sutiã, como se o quarto fosse um palco e num arremesso largo jogou-o sobre o rádio. Teve a impressão de ouvir um disco de palmas. Mantendo o sorriso, já maduro e liberto, dando ritmo aos movimentos, foi descendo a calcinha, centímetro a centímetro, a exagerar provocantemente a resistência do elástico. Tira ou não tira? O senhor aí? Tira? Explorou a situação como se tivesse pudor. Era o suspense, o grande momento, que ela imaginava ser assim, pois o marido jamais a levara para ver um *strip*. Com gesto estancado, agora só os lábios móveis, girou na direção e fixando o rádio, deu continuidade a seu pequeno *show*. A última peça, com o peso duma borboleta, voou pelo quarto, caindo sobre o peitoril da janela. Aí voltou-se ao espelho, sorrindo em desafio, e amadoristicamente começou a imitar as poses das revistas exclusivas para homens. À procura da perfeição, soltou os cabelos, o que a tornava mais jovem. Olhou casualmente à sapateira e recebeu imediata sugestão. Escolheu os sapatos de tacos mais altos, um par vermelho que jamais usara, condenados pelo marido. Calçou-os sentindo o prazer da coisa nova. Agora, sim, estava vestida para o passeio.

  Era mais emocionante do que o *strip*. Sensações de montanha-russa com reflexos no estômago. Sua sensualidade não cabia no quarto. Tinha que se movimentar pelo espaçoso apartamento às escuras. Chegou ao *living* e por um instante sentou-se ao divã para acostumar a vista. Voltou a andar, gozando a libertação, dando a cada passo ação própria e impetuosa. Ensaiava a difícil arte de andar, pisar no chão com segurança e balanço. Entrou no quarto do filho. O capacete, a raqueta, o retrato da namorada. Mostrou-lhe a língua. Nua e compacta, passou pela cozinha e pelo quarto da empregada, que folgava. Queria andar, partir, afrontar. Parou, no entanto, diante da área de serviço, descoberta, sobre a ruazinha lateral. Alguém fumava à janela no edifício fronteiro. A lâmpada de mercúrio do poste a tornaria visível a ele e a qualquer um que surgisse num dos andares mais elevados. Ficou espiando, o rosto colado na coluna, os olhos do homem à janela. Nada a deteria. Num momento que ele fitou a esquina, apenas uma fração de segundos, atravessou a área, sentindo em todo o corpo o frio da rua, iluminado como *out-door* pela luz do poste. O homem continuava à janela fumando. Se se curvasse à altura da mureta, poderia retornar sem risco. Mas quase rastejando sua nudez seria inútil. Logo que o homem da janela deu oportunidade, cruzou a área, porém andando quase normalmente. Percebeu que inventara um jogo interessante. Podia ir mais fundo e aperfeiçoar emoções. A idéia era fazer a travessia sem constatar se o fumante continuava à janela. Reteve a respiração, convenceu o coração a controlar-se e partiu. Uma sensação tão completa e concreta, impregnada pelos elétrons noturnos e fervilhantes, merecia ser repetida. Foi o que fez algumas vezes, muitas vezes, não soube quantas vezes. Em alguns turnos, chegou a sentir no seio e nas nádegas o toque de olhar masculino.

Ainda não esgotara a experiência. Podia ir além. Na travessia que determinou ser a última, imaginou uma chave de ouro. No meio do caminho, num lance aparentemente sem premeditação, voltou-se para a janela com as pernas um tanto abertas e os seios empinados mostrando-se toda e fixa ao espectador da janela. Decepção, estava fechada.

Retornou ao quarto com ódio. Se o vizinho cerrara a janela, decerto não a vira passar uma só vez. Desperdiçara toda aquela emoção, jogara-a ao vento. Ouviu a voz redonda do locutor lendo ou improvisando uma crônica sobre bares vazios, mulheres rejeitadas e notívagos desesperados, os mesmos temas. Aproximou-se do telefone, mas o que viu, transparente, foi a calcinha no peitoril da janela. Um homem, na rua, saía dum carro para entrar no bar. Sem refletir nem ensaiar, jogou-a sobre ele. Apesar da leveza do dardo, acertou no alvo móvel. Cautelosamente, de cima viu o homem abaixar-se para ver o que o atingira com tanta suavidade. Recuando, embora ainda fitando a rua, viu o homem junto ao carro, apertando uma bola de náilon na mão, a olhar curiosamente para as janelas. O jogo podia continuar. Foi buscar o sutiã sobre o criado-mudo, onde caíra. Seu alvo, com a calcinha na mão, ia entrar no carro. Deu um ligeiro nó no sutiã e atirou-o. Quando ele curvou-se para descobrir o que o atingira desta vez, ela pôs a cabeça toda para fora da janela. Era alto, meio calvo e vestia um terno azul.

Largou-se na cama, a cabeça perto do rádio. A voz do locutor parecia mais coloquial, em circuito fechado. A mesma cena de quase todas as noites com uma diferença: a censura destravada, o sistema eletrossexual mais treinado e testado, sentiu que podia telefonar. Tirou o fone do gancho e discou os sete números. Ao ouvir o primeiro chamado, receou acovardar-se outra vez. Mas, nua, sabia onde buscar sua força. Desceu a mão, fazendo os dedos escorregarem pelo seio como alpinista. Com o impulso, prosseguiram a viagem pelo ventre. Enquanto ouvia os chamados, movimentava os dedos, forçava-os contra a carne, escondia-os em sua espessa penugem. Não era com a garganta, mas com o sexo, que dialogaria com o locutor da madrugada. Que lhe diria tudo que acumulara naquelas mil noites. Depois, inventaria um nome qualquer e desligaria. Ele não estava ao microfone, porém ninguém atendia. Quando se aproximou do gozo, temeu desperdiçar outras emoções. Interrompeu os movimentos e repôs o fone.

Derrotada, girou o botão do rádio e apagou o abajur. Nem som nem luz. Apenas o tique-taque do relógio e os ponteiros luminosos. Acompanhou a quase imperceptível marcha deles por cinco minutos. Parecia dormir, mas subitamente levantou-se, acendeu a luz geral e começou a vestir-se.

O elevador deixou-a na garagem deserta e sem ecos. Todos viajavam nos fins de semana. Nem o zelador para abrir-lhe a porta do carro. Acionou o motor do carro e subiu a rampa. Viu o homem alto de terno azul. Incrível, mas ainda permanecia ali, andando pela calçada a olhar aflitamente para cima. Antes de arrancar, olhou-o como se quisesse identificar-se. Ele correspondeu, surpreso, mas a bola de náilon pesou-lhe nas mãos e preferiu fixar-se nas janelas.

Pisou no acelerador, ganhando a rua, porém ao fazer a primeira curva seu sistema nervoso entrou em curto. Temeu não ir além dum mero passeio. Resolveu, antes, voltar o quarteirão. Por quê? Talvez para rever o homem que apanhara as peças de seu *strip*. Foi retornando ao ponto de partida em marcha lenta com um desejo menos vago. Faria o que seus sentidos mandassem. Viu a frente de seu edifício coberta pela neblina.

O homem já não estava ali, o homem já tinha ido.

Desorientada, no caos, pensou em retornar à garagem. Parou o carro, inclinada a desistir de tudo. Ligou o rádio para fumar um cigarro. A voz do locutor soou dentro daquele conforto macio. Falava da solidão, inclusive de sua solidão de profissional retido numa cabina. Ficou a ouvi-lo. De repente percebeu que o carro era arrastado por uma atração magnética. Deslizava pelo asfalto, sem ruído, aumentava de velocidade, desobedecia um sinal, começava a correr, a correr. O que pretendia? Que algum guarda de trânsito lhe tirasse a carteira de motorista, obrigando-a a voltar? Nunca dirigira com aquele fogo como se perseguisse ou estivesse sendo perseguida. À frente, o asfalto molhado, dos lados, vertiginosamente, as portas de ferro ondulado das casas comerciais. Ruas, travessas, ladeiras do antigo centro da cidade, com seus edifícios anteriores ao advento do cimento armado, pesadões e escuros, onde os raros transeuntes àquelas horas também pareciam velhos, como as ruas e os prédios, e moviam-se num ritmo arrastado de décadas passadas.

Ao brecar seu carro moderno diante do casarão cinzento de alguns andares, que era a emissora, sentiu-se exausta e olhou a rua como se fosse uma terra estranha. Não imaginava como conseguira dirigir até lá sem perder-se ou fazer perguntas. Apenas algum tempo depois virou o rosto à direita e viu a porta, uma simples porta de madeira entalhada com uma folha aberta para quem quisesse entrar. Havia uma indecisa luz amarelada no *hall* e outra um pouco mais viva no fundo, a do elevador, que era gradeado, desses que miraculosamente ainda funcionam em velhos hotéis nas proximidades das estações ferroviárias. Sentado, a ouvir a voz aveludada do locutor, via a porta aberta como um convite ou desafio. Não soube quanto tempo permaneceu ali.

Ao transpor a porta, ainda não tinha certeza. Seguiu até o elevador, a ouvir os tacos de seus sapatos soarem nos ladrilhos do *hall*, e foi parar ante as grades a observar suas enegrecidas paredes almofadadas. Se alguém o chamasse, e ele subisse, abandonaria o edifício. Qualquer movimento ou passos seria o ponto final da aventura. Quando leu "É proibido fumar", já estava dentro dele, apertando o botão do quarto e último andar. Nenhuma ascensão anterior foi mais demorada. Fechou os olhos a ouvir o ranger daquela velha carroça aérea, que balançava e batia nas laterais do fosso.

Ao abrir os olhos, leu o nome da emissora, em letras apagadas, numa porta de vidro, com dobradiças, como mera entrada de consultório de dentista. Saiu do elevador e empurrou a frágil porta que se abria para um corredor estreito e com pouca luz. Imaginou que, mesmo na madrugada, houvesse gente circulando, mas não viu ninguém. Nem a telefonista estava no PBX, adornado com uma xícara plástica de café que servira de cruzeiro. Foi seguindo a ouvir uma música da velha guarda. Algumas portas entreabertas. Viu um piano com suas teclas amareladas, uma pia da mesma decrépita tonalidade com uma torneira que pingava e uma sala com casulos para discos. O cheiro cáustico, de urina, que exalava de uma das portas, impeliu-a a prosseguir.

Ouviu então a voz. Reconheceu-a instantaneamente. Agora não podia recuar. Lá estava o luminoso: NO AR. Viu uma parede vidrada, como um aquário, onde um técnico de som, em mangas de camisa, olhava atento dois enormes pratos que giravam. A presença de um homem, que não era o locutor, acordou-a. Toda a covardia voltou duma só vez. Permaneceu parada, junto à parede, à espera da música para desaparecer. Nesse instante, o homem do som ergueu a cabeça e viu-a. Em seguida, fez um sinal maroto à cabina, enquanto colocava um disco no prato. Ela ia voltar-se a toda pressa, quando a porta da cabina se abriu.

O locutor olhou-a com surpresa e interesse e caminhou para ela como se reencontrasse uma velha amiga. Percebeu apenas que era um cinqüentão de tez escura e quase toda a cabeleira branca. Não vestia paletó, mas conservava a gravata desajustada no colarinho desabotoado. A voz era uma, o corpo era outro. Segurando-lhe a mão, levou-a à cabina onde o espaço era preenchido pela pequena mesa de locução e duas cadeiras. Janela, só uma, na técnica. Ao sentar-se, o técnico, malicioso, mas disfarçando seu embaraço, afugentava uma mariposa com um trapo de camurça. O locutor, extasiado com a visita, expressava com dentes escuros sua satisfação. Disse que raramente alguém comparecia ao programa para conhecê-lo. Não era assim, noutros tempos, quando trabalhava no horário nobre.

A um toque de campainha da técnica, o locutor apanhou sobre a mesa um maço de fichas verdes. Não improvisava, como descobria agora. E as pausas, cheias de intenções que comumente fazia, eram abertas pela má iluminação ou provável miopia. Evidentemente não era o autor das românticas e sensuais legendas da madrugada. No intervalo musical seguinte, o técnico, mais para vê-la de perto, entrou na diminuta cabina com duas xícaras de café duma garrafa térmica. Experimentou, estava frio e amargo. O locutor, aproveitando o descanso, procurava ganhar intimidade, mas sem as fichas pouco tinha a dizer e sua própria voz soava diferente. O microfone dava-lhe mais timbre e masculinidade.

Antes de ler nova batelada de fichas, o locutor saiu da cabina e foi à técnica conversar com o homem do som. Disse-lhe algumas palavras, perto do ouvido, apontando a um dos pratos, e a um gesto de assentimento voltou depressa, acendendo inquietamente um cigarro. Desta vez leu sem capricho, aos tropeços, desatento, esquecendo de arredondar as palavras. Aquela ansiedade, que lhe afetava a respiração, tornava-o mais velho e gasto. Ela tinha a seu lado alguém ainda mais tenso e desarvorado.

Assim que ele concluiu a leitura, o técnico soltou um *long-play* do Trio Los Panchos e evaporou-se. O locutor, tomando-a pelo braço, delicado, mas com firmeza, levou-a à técnica. Supondo que ia mostrar-lhe como tudo funcionava, deixou-se conduzir. Ao encostar a porta, balbuciou que haveria uma seqüência de três números musicais e firmou as mãos em sua cintura. Haveria tempo, mas tinha que se apressar. Ela não entendeu e correspondeu parcialmente quando lhe deu um vacilante beijo na boca. Contou-lhe que era casada, tinha um filho, e que só fora até lá para conhecê-lo, sem outra intenção. O locutor começou a suplicar, com uma voz débil que não era aquela que conhecia, mas suas mãos ganharam força de jovem e conseguiram dobrá-la sobre a mesa de som. No mesmo instante deitou de frente, cobrindo-a com seu corpo.

A posição, o som altíssimo do bolero e o calor de brasa do momento atordoaram-na. Uma mariposa girando em torno da lâmpada deu-lhe a impressão fugidia de estar num trem em acelerada velocidade. Agitava os braços e as pernas como alguém que se afogasse numa piscina rasa. Gritar não podia, pois por mais que evitasse, ele a beijava com insistência e desespero introduzindo a língua em sua boca. Mesmo se pudesse, não haveria ninguém para socorrê-la. Algo tombou sobre seus cabelos, era a garrafa térmica, mal arrolhada, que derramava café sobre a mesa de aço e umedecia-lhe as pontas dos cabelos. Virou a cabeça à direita, fugindo da ávida boca do locutor e viu o *long-play* girando sobre o prato e sobre ele, ondulando e caminhando, a agulha do *pick-up*.

As mãos dele ergueram-lhe o vestido e ela viu o homem alto, de terno azul, a apertar nas mãos a bola de náilon e a olhar as janelas do edifício. Seria o momento de escapar, mas continuou com os olhos na agulha, que mostrava a passagem do tempo como a areia duma ampulheta. Sobre ela, o locutor, já livre do empecilho, pedialhe que facilitasse tudo, dando a convicção de que sua voz era também propriedade dos sulcos do disco.

A mariposa ainda sateliteava ao redor da lâmpada, talvez a mesma que o técnico tentara espantar ou matar com o pano. Pela primeira vez, baixou o olhar e viu o rosto do locutor a um palmo do seu, os olhos empapuçados, os lábios esticados, a pele metralhada, coberta de pequenos orifícios, e imobilizado como um boneco, numa sofrida espera que não obedecia aos movimentos compulsivos do corpo.

Voltou a agitar-se e nessa ação derrubou a garrafa térmica, ficando em seu lugar, sobre a mesa, uma mancha irregular de café. O som do Trio los Panchos, algo sobre *Cristo del Rio*, de uma alegria superficial, parecia crescer, sufocar como fumaça. O locutor também virou o rosto para a agulha com receio de que ela, já no final do trajeto, derrapasse no último sulco. Olhando ambos na mesma direção, as faces coladas, foram envolvidos por igual expectativa, enquanto ela, num esforço maior, procurava enxergar a parede de vidro da técnica, por onde o homem do som podia estar espiando. Sentiu-se, então, toda nua e com frio, atravessando a área de serviço, observada por alguém da janela, do outro lado da rua.

O locutor tornou a balbuciar coisas, palavras molhadas, enfiando a cabeça em seus cabelos, forçando-a a virar o rosto para a janela, quando viu à distância, perdida na noite esbranquiçada, a única luz dum edifício mais alto. Quem sabe, uma mulher solitária que ouvisse o Trio los Panchos. Foi a imagem que mais a fez vibrar, que mais a acionou, e, com os olhos na luz que às vezes a neblina escondia, apertou aquele corpo com uma energia que seus braços desconheciam, e impôs o seu ritmo abrindo e erguendo as pernas no ar.

Num recuo brusco, quando o famoso trio preparava os agudos finais, o locutor desligou-se do corpo dela, dizendo que chegava e pedindo-a que o deixasse, a abotoar-se com uma pressa ridícula, preocupado em voltar à cabina e apanhar as fichas verdes. Mal ele abandonou a técnica, ouvindo o resvalo da agulha, ela o viu pelo vidro entrar na cabina, pigarreando para limpar a voz. Não suportou ficar mais um instante lá. Sem olhar para mais nada, abriu a porta e precipitou-se pelo corredor, chutando a térmica em sua fuga. O homem do som vinha vindo num embalo e foi quase derrubado, tendo que se amparar com as mãos espalmadas na parede.

Não lhe pediu desculpas nem parou. Correu até o elevador e pôs-se a apertar freneticamente o botão de chamada. Não teve paciência. Desceu pela escada os quatro andares num só fôlego.

Em pijama muito bem passado, fumando, o marido estava placidamente estirado na cama. Algo saíra errado, algum desastre sentimental o obrigara a voltar antes das duas num sábado. Perguntou-lhe com formal interesse onde fora. Reunindo palavras a esmo disse que saíra com uma amiga. Mas não deu para encará-lo. Foi meter-se sob o chuveiro. Embora demorasse o suficiente para muitos banhos, voltou deprimida com a intenção rascunhada de contar-lhe tudo.

O marido já apagara a luz geral, só com o abajur aceso, e ainda fumando, inconformado com alguma coisa. Num breve lance ela entrou sob o cobertor e virou a cabeça para o criado-mudo. Não viu o rádio. O rádio não estava lá. Olhou ao redor, procurando-o, quando ouviu bem clara e sonora a inconfundível voz do locutor da madrugada. Estremeceu, ia gritar, abriu a boca. Ia gritar.

– Não se incomoda se ouço um pouco o rádio, querida? Estou sem um pingo de sono.

O bar dos cento e tantos dias

*Para
Jair Bittencourt*

Eu estava desempregado, com o desejo rotativo de viver uma sórdida aventura sexual e morria de calor. Minha área de ventilação, projetos e repouso eram aquele bar, com cadeiras na calçada, atrás da Biblioteca Pública. De lá partia e retornava à procura de sensações, amigos e oportunidades. Meu último bilhete azul já datava de cem dias, quando terminara uma telenovela como escritor-fantasma, ganhando um terço do salário do desorientado autor que se perdera no labirinto de trinta cenários e duzentos capítulos. Retirado o lençol da camuflagem, fui posto no olho da rua para que não desse com a língua nos dentes, revelando segredo profissional. Depois de seis meses de queixo erguido ao vendeiro, voltava ao desvio, às férias compulsórias, ao banco de reserva. Com um agravante: antes eu era um descarnado, um magricela carente de glóbulos vermelhos, que todos queriam ajudar. Agora, com oitenta e poucos quilos, balofão, suarento, ocupando mais espaço que o devido, não inspirava piedade nem despertava a ganância dos exploradores.

– Dê um pulo na Mênfis Publicidade, lá estão precisando dum cupincheiro.

Eu freqüentava o dito bar para colher essas valiosas informações. Nele paravam, devido às forças concêntricas da metrópole, nuns casos, e ao prazer gravitacional, noutros, cupincheiros, *free-lancers, yes-men*, homens providenciais, empregados e subempregados de agências publicitárias. Nas mesas vizinhas, sempre nos fins de tarde, e vítimas da mesma sede, reuniam-se também jornalistas, gente de rádio e televisão, profissionais que eram ou que já tinham sido, todos papeadores com vinte mil horas de bar e boteco.

– Levante o rabo dessa cadeira e vá até a Mênfis.

O desemprego não advém da preguiça, mas podem caminhar juntos. Especialmente se o caminho leva à cadeira de um bar. Preferia que a sorte viesse ao meu encontro, em virtude de sua própria natureza ocasional, a sair desembestado à procura dela. Além do mais, vinha demonstrando elogiável resistência ao gim e ao campári, bebidas que se finge gostar quando falta dinheiro para o uísque. Ia ficando na cadeira, captando e filtrando informações, sem disposição de ir para a Mênfis. Os cupincheiros – redatores avulsos – sempre levam muitos canos porque sempre são solicitados por agências pequenas, no geral da corda bamba. Eu precisava dum emprego inteiro, não dum bico ou beirada, dicas ou migalhas, embora quando a coisa apertava acabasse me agarrando às piores ofertas.

– Às seis e meia a Mênfis fecha, tá me ouvindo?

Era o quarto gim, limite etílico entre a realidade e os primeiros devaneios. Olhava. Eu não era o único desempregado no bar, outros também tinham quebrado a cara, mas o azar alheio ou coletivo nunca me serviu de consolo. Gostava de espiar os bem-sucedidos, como se vestiam e o trato e brilho que davam às suas unhas. Mesas coladas, gravava um tom de voz tranqüilo, de vogais abertas, persuasivo e sem broncas. Um homem bem remunerado se torna melodioso, me ensinou o bar. Numa mesa estava o Altino, *yes-man* na correta postura de quem concorda. Freire, o Publicitário do Ano, sempre visualizado de *smoking* e carregando um troféu, embora a mesa de maior audiência fosse inequivocamente a do Fontana, o Homem Providencial de tantas agências que salvara usando apenas o socorro boca a boca de seu largo e automático sorriso.

– Pode tomar outro gim, bebum. A Mênfis já fechou.

Juro que iria à Mênfis, ali na esquina, se não fizesse tanto calor e se a noite, que já começara, não pedisse mais. O desempregado é mais sensível e observador ao chegar ao 100º dia. Não gostaria que confundissem desempregado com desocupado ou marginal. Defendo uma posição burguesa no contexto. Tudo que se disse sobre minhas tendências marxistas não passou de boato, pois a piscina de água quente continua sendo meu mais insistente objetivo. Eu era um desempregado, não um rebelde. Não saíra, fora empurrado para fora, rejeitado pela engrenagem, cuspido, vomitado. Não era a primeira vez que isso acontecia, o que me dava a certeza de que não seria a última. Mas no 100º dia, como dizia, a sensibilidade e o poder de observação se aguçam, porque o que resta ao desempregado é a crença em seus sentidos. Quando a pressa não tem mais razão de ser, ver, ouvir e tatear tornam-se funções defensivas como um homem perdido na floresta, atento a todas as sombras e rumores. A gente no 100º perde parcialmente a atividade. Há uma acomodação muscular, enquanto a percepção, enriquecida, não deixa nada em branco, nada sem registro, num raio de pelo menos trinta metros. Se não estivesse a escanteio, não perceberia, por exemplo, que o Homem Providencial, sentado a dez metros de mim, tem uma ligeira falha num dos molares e que sua gravata verde-claro apresenta um orifício de dois milímetros de diâmetro provavelmente de brasa de cigarro. O *Yes-Man* que o ouve, com apreensiva atenção, à espera das pausas e deixas para os *Yes*, usa peruca. Seria capaz de valer-me dessas informações, caso fosse chefe de redação da Grant ou da Orion? Positivamente não, meus senhores.

Já que estamos, vamos continuar. O desempregado leva ao menos a vantagem de não precisar levantar cedo. Além de tudo, a noite é otimista porque sua realidade depende do dia seguinte. Numa delas, já balão, cara cheia, boca mole, sentou-se à nossa mesa o proprietário de uma agência, talvez comemorando a conquista de nova conta. Disse nós, porque o Lorca me acompanhava – o melhor amigo daqueles dias, embora fumeta e pixicateiro. O Lorca foi logo contando milongas a meu respeito, inclusive que publicara um livro de relativo sucesso na década passada. Exigia para mim o que com muita originalidade chamava de "um lugar ao sol". O tal publicitário retirou com dificuldade um cartão comercial do bolso.

– Visite-me amanhã às dez. Ouviu bem? Às dez, eu disse.

O Lorca apanhou a mão do homem no escuro, levou-a à boca e beijou-a.

– Eu te amo, Lima!

Meu despertador não deu o alarma, mas minha cuca, sim. Não podia perder aquela. Às dez, já estava lá. Ao meio-dia, entrou um *alka-seltzer* no escritório do Lima. Depois ele, depois eu. Sentado, vendo milhares de bolinhas nascerem no fundo do copo, por acaso o Lima fixou o olhar num determinado ponto. Esse determinado ponto era eu. Esbocei trinta por cento dum sorriso.

– Quem é o senhor?
– Eu? Sou amigo do Lorca, não lembra? Ontem. Lá no bar. O amigo do Lorca.
– Que Lorca?
– Bebemos juntos até às cinco, o senhor me falou dum emprego, me mandou vir.

Aí ele lembrou:
– Ah, vocês... Aqueles vagabundos que me enfiaram pela goela bebida envenenada! Sou um homem de negócios, seu Lorca...
– Mas não sou o Lorca!
– Tenho família, responsabilidades. Dirijo uma empresa com quase cem funcionários! Deviam saber quem sou eu ao me arrastarem para aquele antro.
– Nós não arrastamos ninguém!
– Queira retirar-se, seu Lorca!

Bati os olhos no copo. O maravilhoso digestivo era, para seu Lima, mais que o próprio sol, a divisão inconfundível entre a noite e o dia. Não havia ponto de contato entre o Lima noturno e o diurno e era supérfluo julgar um pelo outro.

Voltei ao bar onde o verdadeiro Lorca tomava a primeira cerveja para combater a ressaca, que somente seria vencida ao ceder espaço para os sintomas iniciais da próxima embriaguez, quando meu amigo retornava a seu estado natural e íntegro. Sentei-me a seu lado e contei-lhe a estória toda, vendo-o sofrer e irritar-se. O Lorca era a única pessoa de quem eu podia esperar compreensão, apoio e mesmo piedade. Conheci três picotadores de *taxi-girl* que deviam seu emprego ao Lorca. O porteiro da boate Le Barnar estava lá graças a uma conversa que o Lorca tivera com o gerente. Muitas manicuras e chapeleiras de casas noturnas teriam caído na prostituição se não fosse o dito Lorca. Não era, reconheço, o tipo de homem que a gente gostaria de ter como genro, mas não conheci ninguém melhor nos cento e tantos dias do meu desvio.

– Não perca o ânimo – disse-me o Lorca, enchendo um copo de cerveja para mim. – Beba isso e depois vamos ver o que se pode fazer.

Por mais que bebesse, eu sabia, o Lorca não esquecia sua gentil promessa. Quando menos esperava, às vezes depois de ter fumado um de seus especiais no mictório do Paribar, o Lorca me apresentava uma sugestão. Graças a ele, escrevi ocasionalmente roteiros de filmes comerciais, textos para agências de notas frias, fajutas, orelhas para livros pornográficos e traduzi do francês a bula dum produto farmacêutico chamado "consolo-de-viúva". O Lorca não era propriamente um intelectual, porém todo o trabalho que me conseguia era, de alguma forma, ligado ao conhecimento do idioma e à cultura. Ao mesmo tempo, empenhado em me ajudar e em conseguir uma bolsa de estudos para o neto duma cafetina, o Lorca naquele dia teve que ir mais de uma vez ao reservado dos homens fumar seus especiais para bolar ou lembrar uma dica salvadora.

– Acho que tenho uma boa – anunciou. Venha comigo.

Eu sempre vi o Lorca usando a mesma roupa, um terno cinzento com grossas listras pretas. Me era familiar a camisa do Lorca, azul-severo, com as bordas do colarinho arredondadas, gateadas, como foi moda na fulgurante década de cinqüenta. Os sapatos do Lorca, muito pretos e sempre com muito brilho, eram pontudos, também como os de antigamente, alardeando o perigo dum pontapé no saco. Andava depressa, como todo bom paulistano, com a diferença que nunca estava indo ou vindo do trabalho. A rapidez era o meio que encontrara e aperfeiçoara para esconder possíveis hesitações de suas pernas, por motivos já referidos. Mas, pelo amor de Deus, não vejam o Lorca como um alcoólatra submerso como existem tantos por aí neste mundo de desajustes. O Lorca cuidava muito do hálito, sempre com seu sortimento de chicletes, bochechava, freqüentava a sauna, ia às massagistas, pingava colírio nos olhos para evitar vermelhidão, e forrava o estômago com picles, sardinha, quibe, lingüiça e fatias de pepino. Mas a sua vaidade, o seu ponto de honra de alcoólatra, era não ziguezaguear. E não ziguezagueava.

– Afinal qual é a boa? – perguntei ao meu amigo.
– Estou te levando ao Fontana.
– O Fontana não vai querer nada comigo.
Então ele explicou:
– Telefonei ao Fontana. Ele quer te conhecer.
– O Fontana?
– O próprio.

O Lorca dissera ao Fontana que eu era um escritor, ocasionalmente desempregado, à espera da grande vez. Mencionara o nome de meu livro, e não é que o importante publicitário, que assinava o artigo de fundo da *Publicidade e Negócios*, verdadeiro filósofo do "texto que vende", representante do nosso *status* publicitário em congressos internacionais, e não é que esse homem todo me lera? Dos dois mil exemplares de meu pequeno romance, publicado nos primeiros anos de cinqüenta, um deles estava na biblioteca do Fontana!

Lorca deixou-me na porta.

— Bom que não esteja perto pra discutirem livremente o problema do salário — apertou-me a mão. — Empregado ou não, pode procurar-me no bar.

Eu ainda hesitava:

— Vocês se conhecem, se dão bem mesmo?

— Diga ao Fontana que eu o amo!

A sala do Fontana era ampla, iluminada, fresca, acrílica e receptiva. De pé, já com a mão estendida, bem postado sobre as pernas, a envergar um terno feito de asas de borboletas, o Homem Providencial recebeu-me com o abraço tridimensional das velhas e consistentes amizades. Fontana era vertical, franco, positivo, mas também sensível e interessado. Fez-me sentar ao seu lado, chamando-me pelo nome, e dizendo-me logo que minha presença era um presente, a alegria duma cesta de Natal.

Enquanto sua secretária (Denise, loira, bela, peitos) serviu-nos um *scotch*, o Fontana comentava o meu livro. Eu forçava o meu assunto. Tarefa difícil, pois o Homem Providencial, habitante de outras galáxias, com seu dia ganho, insistia em pairar em estratosferas literárias. Pretendia demonstrar a seu ouvinte que não era apenas o frio planificador de lucros multinacionais. Era também uma criatura que aproveitava seus lazeres para as coisas do espírito. Confessou invejar meu talento, após um longo e degustado gole.

— Mas acontece, Fontana, que estou vivendo de bicos e a vida está um tanto cara.

Fontana sorriu com benevolência:

— Disse um tanto cara? A vida tornou-se um caso de polícia. Vou lhe mostrar.

Retirando pastas de sua bela escrivaninha, Fontana exibiu gráficos que indicavam a alta dos preços nos últimos cinco anos. O que se ganhava ontem com o que se ganha hoje. E o que se podia comprar ontem com a média salarial de ontem. Mas o pior, explicou-me, era o desaparecimento de certos gêneros do mercado.

— Viu o que aconteceu com o amendoim?

— Não sei, Fontana!

— Ah, você não sabe? — admirou-se, escandalizado com minha ignorância. Olhou-me com certo pasmo. — Sabia que o amendoim desapareceu de dezessete Estados da União?

— Ignorava.

Fontana retomou a palavra e até o resto do expediente colocou-me a par da terrível coisa que ele chamava "toda a verdade sobre o amendoim", à qual meus probleminhas particulares bloqueavam egoisticamente o acesso. Aconselhado a aproveitar os maus momentos para escrever novo livro, voltei à companhia do Lorca.

Encontrei-o no bar de costume, tomando gim, porque já era hora de trançar, isto é, misturar, para apressar os resultados. Sentei-me a seu lado.

— Sabe que o amendoim desapareceu de dezessete Estados da União? — informei.

— Não sabia.

— Você não sabe de nada, Lorca.

— Como lhe recebeu o Fontana?

— É um perfeito cavalheiro. Você é um homem muito bem relacionado, Lorca.

— Quando você começa?

— Bem, ele me ofereceu um emprego de cinqüenta mil tijolos, mas recusei para não pagar imposto sobre a renda.

Lorca entendeu e fez um sinal ao garçom.

— Desempregado, sim. Mas sóbrio, nunca. O que vai beber?

Aquela noite, bebi um pouco mais do que o habitual e sonhei que passeava de lancha na represa com Denise, a secretária do Fontana. A bordo levávamos alguns sacos de amendoim, dezessete, se não me engano. Fazia uma bela curva, já dominando plenamente o veículo quando a direção se desfez, uma ventania levou os braços e o sorriso de Denise e a lancha afundou alguns palmos. Minha mulher sacudiu-me e mostrou-me mais uma conta que não podia pagar.

    No dia seguinte, achei inútil procurar o Lorca, mas fui procurar o Lorca. Ficamos horas sentados no bar, apenas vendo as pessoas passarem. Foi com o Lorca que aprendi a assistir ao que ele chamava "o espetáculo da cidade". Não havia, a seu ver, nada mais inédito, variado, chamativo e colorido do que o desfile de transeuntes numa avenida central, principalmente ao cair da tarde. Afirmava que, com um pouco de concentração e paciência, se podia ver até os mortos passarem. Exagero, pois vi somente três. Depois de alguns especiais, o prazer de contemplar se tornava completo para o Lorca. Confessa que conseguia trocar de cidade, nas tardes de inspiração, e que sem despesas nem bagagens já dera algumas voltas ao mundo. "O principal é que haja pessoas", explicava, "o resto a gente imagina porque só o que anda é que tem importância". Mesmo sem recorrer aos expedientes do Lorca, fui adquirindo o hábito da contemplação. A diversificação de formas, cores, gestos e expressões é infinita quando se observa os passantes duma mesa de bar. A simples maneira de andar não se repete em duas pessoas. Todos têm duas pernas mas andam de maneira diferente. Não pensem que todos andam olhando para frente, o que seria o correto. Olha-se mais para o chão, para o lado direito e mesmo procurando uma nesga de céu. Os homens que carregam maletas do tipo 007, chatas e pretas, são os que imprimem maior velocidade às pernas e no geral buscam a beira das calçadas. Os gordos preferem circular pelo centro da calçada, enquanto as mulheres gordas, isso é interessante, preferem caminhar rente às paredes. Os homens altos gostam de dominar o meio da rua, enquanto os nanicos evitam as calçadas e ziguezagueiam. Às vezes, vão reto pelas guias, alardeando equilíbrio psicológico. Observei que as profissões também influem no andar e no uso das calçadas. Arquitetos e engenheiros andam devagar, olhando para o alto. Os médicos são apressados embora nunca esbarrem nas pessoas. Os corretores de imóveis são, em minha opinião, os mais elegantes no andar, perdendo unicamente para os que negociam com fundos públicos. Os advogados detestam andar e pisam com as pontas dos pés. Não digo o mesmo dos professores que andam descontraídos e com os pés abertos e distanciados. A mulher caminha melhor que o homem, isso posso garantir, menos as meninas em relação aos meninos e as velhas em relação aos velhos. No entanto, uma mulher de vinte e oito a trinta e quatro anos é mais bonita andando do que parada. Já não acontece o mesmo com as oxigenadas, nunca entendi por quê. Tenho quase a certeza de que vocês nunca se preocuparam com essas coisas, o que é uma pena, digna de estudos mais sérios que eu poderia aprofundar se contasse com subvenção oficial.

— Seria capaz de escrever o roteiro dum filme pornográfico? — perguntou-me o Lorca, que mesmo quando perguntava, afirmava sua crença nas minhas possibilidades.

— Acho que posso.

— Claro que pode.

Pude, sim, pude. Em três dias e três noites, escrevia algo que se chamou *Piranhas de Luxo*, sobre adúlteras, cornudos e bichas, mais tarde utilizado como espécie de *pushing-ball* para crítica especializada. Um produtor, absolutamente desinteressado em ganhar o Oscar ou a Palma de Ouro, deu-me seis mil cruzeiros, paga razoável naqueles dias.

Sem dar o nome infamante de comissão, com o que o Lorca jamais concordaria, pus-lhe mil cruzeiros no bolso para que se tratasse, quero dizer, que tomasse uma ou duas endovenosas e reabastecesse seu estoque de especiais. Eu lhe devia muito mais em favores e drinques. O Lorca tirou as dez pernas de cem do bolso, apertou-as e afastou-se à procura dum telefone. Sabia que por uma semana seria um homem feliz.

Na semana seguinte, depois de aliviar a barra de minha mulher com os fornecedores, voltei a procurar o Lorca. Encontrei-o de boa disposição. A endovenosa o ativara um pouco e ele apaixonou-se durante cinco dias pela chapeleira de uma boate que nos fez companhia naquele bar da tarde. Não era bonita nem charmosa, mas como dizia o Lorca: "Não usando cuecas nem sapatos de amarrar, eu traço". Seus amores, porém, eram tão superficiais que não acabavam, se desfaziam.

Quando o tempo ajudava, eu e o Lorca deixávamos o bar e íamos passear do outro lado do viaduto, ou pelas ruas de Santa Efigênia, à procura de restos da cidade velha, mas sem confessar nenhum saudosismo que nos envelhecesse ainda mais. Sempre que topávamos um bar, o Lorca parava e me contava uma estória de que o bar fora palco ou conseqüência. Ele tinha um amor especial por velhos bares como muitos têm por velhas igrejas. Uma tarde ele encontrou um garçom duns sessenta anos ou mais, que ele abraçou fortemente e beijou na cabeça, quase em lágrimas diante do bom homem que lhe servira o primeiro Bíter Russo no final da década de trinta. O engraçado é que nunca fui à casa (?) do Lorca nem soube onde morava e muito menos com quem.

Eu já passara dos meus cem dias de desemprego e estava precisando do Lorca e de suas dicas mais do que nunca, quando ele cismou de se plantar durante três dias numa esquina da Amaral Gurgel para assistir à demolição dum boteco insignificante onde fizera ponto em sua juventude. Quando tudo já estava no chão, um montão de vigas e tijolos, ele foi sujar os sapatos, misturando-se com os pedreiros, e voltou de cara alegre com uma lâmpada na mão, o que restara de inteiro daquele capricho urbanístico. E não sei como nem com que intuito, durante dias o Lorca andou com aquela lâmpada por toda a parte, mesmo nos táxis e elevadores, no enterro dum velho cantor de sambas, na festinha que o Gerardão, uma lésbica, ofereceu aos amigos na boate Vaga-lume, turbulenta demais para objetos frágeis, nos domingos pela manhã quando se curtia ressaca na feira *hippie* da Praça da República, nas mesas de feijoada dos restaurantes, sempre o Lorca com a lâmpada, segurando pela base, como se sua mão e ela formassem um todo. Num fim de noite, quando as idéias florescem, precisamente num bistrô denominado Jungle Bar, pouco maior que um lençol de cama de casado, o Lorca tocado por um espírito, que podia ser o de Edson, levantou-se da mesa num só impulso, e foi enroscar a lâmpada num soquete junto à caixa registradora. O que eu vi, e me ficou, talvez devido à surpresa do súbito fulgor, foi o rosto do Lorca, jateado pela luz, arreganhando um grato sorriso de quem recebe merecida compensação. Os outros freqüentadores da casa, com seus copos na mão, juntaram-se a nós sem poder entender, apesar da lucidez alcoólica, o que um homem bem apessoado, com sua camisa azul-severo, e todo paulistano, podia descobrir de tão notável e transcendental numa velha lâmpada acesa.

– Vamos embora – disse ao Lorca, lembrando que amanhecia e que sua atitude contemplativa já causava murmurante estranheza.

O Lorca desatarraxou a lâmpada, com um lenço, e levou-a embora. Soube, depois, que usando uma garrafa vazia, provavelmente de final bebida estrangeira, improvisara um abajur para seu quarto. Mas, segundo seu próprio depoimento, acendia-a apenas alguns minutos por dia para que ela não se queimasse, queimando também as recordações do bar demolido.

Além do roteiro pornô, o Lorca me forneceu outras dicas importantes. Durante semanas, por sua indicação, escrevi cartas para um industrial alemão que vendia coberturas para carros e que precisava corresponder-se em português com futuros fregueses. Um plá seu me levou à gerência dum teatro rebolado onde me encomendaram a simples redação de um programa de apresentação. Nas eleições, o Lorca conseguiu que escrevesse uma crônica radiofônica, diária, promovendo determinado candidato: *A Hora dos Humildes*. Mais tarde, obteve de outro partido uma pequena verba para que replicasse: *A Hora dos Demagogos*. Modéstia à parte, o ataque e o contra-ataque alcançaram grande sucesso e garantiram-me algum tutu. Para um circo da periferia, o Lorca convenceu o proprietário, nas vésperas da Semana Santa, que desse nova redação, mais atualizada, inclusive com alguma gíria, à famosa peça *Paixão de Cristo*, serviço mal pago, porém de milagrosa inspiração. Um clube recreativo de Osasco precisava de alguém para bolar e redigir uma campanha de novos sócios: o Lorca me indicou.

Até que, merecendo parágrafo especial, fui cair num teatro de *strip-tease*, encarregado de rimar quadrinhas que as *strip-teasers* recitariam enquanto se despissem. Foi então que descobri que as *strips* são exatamente iguais a todas as mulheres, apenas denotam incrível resistência ao resfriado. Não era fácil ficar sentado no teatro vazio, à primeira fila, ver as artistas ensaiarem enquanto o poeta versejava com papel e lápis sobre os joelhos. A aprovação dependia duma bicha histérica, que se dizia diretor-artístico, implacável para com as *stars* que não conseguiam ajustar os gestos às palavras. Uma das *strips*, paraguaia, pesadona, varicosa, mina dum cafiolo que também acompanhava os ensaios, deu de implicar-se com minhas estrofes que pareciam não ter tradução no idioma castelhano.

A aversão que minha verve lhe causava era tamanha, tão glandular, que lá do alto, do palco, chegou a cuspir na minha direção ao tropeçar a língua numa rima esdrúxula. Felizmente, para equilibrar, uma bem magrinha, loira desbotada, talvez por excesso de sol ou chuva, sorria para mim, aprovando cada verso, à medida que ia se livrando das peças de sua roupa.

Ao terminar o trabalho, a loira levou-nos ao hoteleco onde morava, o Casablanca, na rua dos Timbiras, onde proporcionou a mim e ao Lorca o espetáculo privado de seus *strips*, recitando minhas inspiradas estrofes com uma ênfase de dia de estréia. O resto é fácil imaginar e muitos ainda lembram o que sempre quis esquecer, aquele trio desigual, vadio e sedento que chegou a provocar comentários e algum escândalo pela precisão com que conseguia dividir o amor em metades perfeitas. Esse convívio mais íntimo esclareceu, à luz reveladora do dia, que a tal loira não era bem desbotada, como me parecera no início, mas enferrujada, pois é sabido que a pele também enferruja quando sobrecarregada de elementos minerais. Não lembro como a loira enferrujada se desgarrou dos nossos braços, pois outro acontecimento, de maior realidade, vinha piorar tudo.

– Estou desempregado – confessou o Lorca no Paribar.
– Mas eu nem sabia que tinha emprego.
– Trabalhava numa imobiliária, mas me chutaram.
– E a indenização?
– Eu não tinha registro. Mas não se assuste. Me deram um cala-boca, ainda tenho dinheiro para a bebida. Eh! Garçom!

Agora, eram dois os desempregados. O Lorca mexeu-se um pouco à procura duma beirada. Já fora pianista, mas com o diabo do *rock-and-roll* na praça não dava pé. Nos anos cinqüenta, cantara no Chauen e no Refúgio, onde talvez ainda tivesse vez se ambas as casas não tivessem fechado. Na mesma época, tivera até conta bancária como vendedor de uísque falsificado, principalmente das marcas White Horse e Queen Anne, porém logo verificou que a concorrência não lhe daria oportunidade. Lembro-me que conseguiu trabalhar num desses cassinos de jogos eletrônicos, ambiente insuportável para quem só entendia a vida em área aberta. Foi mandado embora na primeira semana, injustamente acusado de desatenção e embriaguez. Durante algum tempo dedicou-se a cobrar dívidas de jogo e a arranjar mulheres para uns senhores que tinham negócios na Marconi e Barão. Mas não deu muita sorte, embora levasse o trabalho a sério.

Uma tarde, somamos nossos últimos trocados e fomos ao bar. O Lorca não se entregou ao inteligente esporte da contemplação. Pareceu-me mais velho e desleixado, o que ele, a bem da verdade, nunca fora. Embora meio à antiga, o Lorca era homem elegante, fato que as mulheres comprovavam, o que fizera dele um ídolo em diversos quarteirões da flamejante década de cinqüenta. Lorca, que começara tão bem durante os *black-outs*, desapertando garrafas de champanha nos armazéns, estava liquidado. Olhava só para o copo e, às vezes, lançava olhares curtos para mim.

— Estou com medo — confessou. — É a primeira vez que dá essa coisa. E não é bom.

— Há mais de cem dias que sinto isso — disse.

— Dessa vez não vou poder ajudá-lo, Tolstói — lamentou. — Nem pra mim consigo nada.

— Se preocupe com você.

— Estou me preocupando.

— Você não tem parentes, alguém que podia dar uma colher-de-chá?

— Se tivesse, já teria recorrido a eles. Sou muito orgulhoso, mas agora estou apavorado.

— Vamos acabar esse copo e procurar alguma coisa, Lorca.

— Vá você, amigão, e boa sorte. Acho que fracassaria.

Deixei o Lorca no bar e dez passos além parei para olhá-lo. Quis fazer um aceno, mas ainda fixava sua atenção no copo. Não sabia como me arranjaria sozinho, sem as mumunhas e malevolências do Lorca, sem suas dicas salvadoras. Se tivesse algum dinheiro, deixaria com ele, iria a pé para casa, mas já não tinha nenhum. Cheguei ao apartamento, no mais completo desmazelo desde que minha mulher me abandonara por não suportar mais a cobrança de contas. Os raros móveis cobertos de poeira, a geladeira vazia e nenhuma gota de álcool em nenhuma parte. No entanto, logo que me larguei na cama, o sono veio e me levou.

Não sei se existe realmente alguma ligação entre o rumo dos astros e o destino dos homens neste planeta. Só mais tarde fiquei sabendo, por pessoas bem informadas, que justamente à meia-noite daquele dia, os aquarianos, em particular os do terceiro decanato, entravam em período de grande favorabilidade, devido às posições do Sol e de Júpiter. Enquanto eu dormia, com a intenção de não acordar mais, o que só não era um suicídio, porque a Ultragás cortara o fornecimento, imensas massas cósmicas, a dezenas de milhões de quilômetros, cumpriam suas missões astrológicas com incrível pontualidade e servilismo. Digo, porque no dia seguinte, pela manhã, um *boy* fardado, mensageiro de Aquário, mas que tinha no boné o nome da Mênfis Publicidade, bateu à minha porta, trazendo um sorriso e uma carta.

A Mênfis era das agências médias e pagava bem. Fui recebido por um homem que nunca vira antes, mas que miraculosamente tinha de mim as melhores informações. Confessou: precisava de alguém com minha garra, impacto e ambição. A primeira oferta que me fez era exatamente o dobro do que eu pediria. Como hesitei, porque uma mosca aquariana passou rente aos meus olhos, ofereceu o triplo. Negócio feito. Mas teria que iniciar imediatamente. Faria alguma objeção?

Durante uns dez dias, fiquei metido na agência para conhecer seus problemas, os clientes e o funcionamento dos diversos departamentos. Acima de mim havia apenas o Homem Providencial da Mênfis, mas este, já desencarnado, em estado nirvânico, apenas se atinha às questões da metafísica publicitária. Nas raras horas de folga, fui às lojas e abri crédito para a aquisição de um guarda-roupa que ostentasse meu novo *status*. O primeiro fim de semana reservei para trazer minha mulher de volta ao lar e a reabrir meu crédito nos estabelecimentos do bairro com a simples exibição de minha Carteira de Trabalho, já com anotações frescas. Esse regresso à normalidade profissional e familiar, desde o registro no PIS e Fundo de Garantia à reforma, exorbitante, da minha geladeira e da máquina de lavar, tomou-me mais tempo do que calculava, o que sempre me impedia de procurar o Lorca para lhe prestar assistência.

Foi apenas ao receber o primeiro salário, já consolidado na agência, reconciliado com a mulher e cumprimentado pelos fornecedores do bairro, é que me sobrou um tempo para voltar ao Paribar e rever meu velho amigo. Retornei ao bar dos cento e tantos dias de roupa nova, bem barbeado e de unhas polidas. Chamei logo um *scotch* legítimo, à espera de que o Lorca aparecesse. Às sete e meia o simpático Fontana me bateu às costas, mas não gastei mais que um "olá!" Vi outros figurões sentados às mesas, brincando, conversando em voz baixa, porém não me concentrei neles. Sentia os pés no chão, forte, seguro e com o desejo de esnobar. Pensei que o Lorca pudesse ser meu *Yes-Men*, contanto que não enfumaçasse o toalete da agência com seus especiais. Valia a pena esperar mais meia hora, naquele delicioso fim de tarde, para lhe dar essa boa dica.

Como o Lorca não aparecia, resolvi perguntar por ele ao Pitchinin, o mais antigo garçom daquele bar, o baixote e robusto Pitchinin, que já nos dera um tonel de choro, e sempre fechava um olho quando a grana era curta.

— Tem visto o Lorca?
— O Lorca?
— Ele tem aparecido?
— Morreu.
— O Lorca???
— Morreu.
— Não brinca!
— Ontem, às cinco, aí na São Luís. Atropelado.
— Não diga, Pitchinin!
— Foi enterrado hoje cedo pela Prefeitura.
— Como aconteceu?
— Andava desligado, no baratino. Disse que tinha sido despejado. Lembra daquela lâmpada? Morreu com ela na mão. Ia atravessar a rua, mas não viu a carreta.

O Pitchinin indicou o ponto exato do desastre. Fui lá e vi logo uma mancha escura no asfalto, pisada pelos transeuntes apressados. O corpo do Lorca, a roupa, a camisa azul-severo e tudo que ele fora sob os sulcos duma brecada tardia. Virara uma nódoa que os caminhões de limpeza pública, a jato de água, em breve limpariam. Permaneci algum tempo ali à espera de que passasse algum dos muitos amigos do Lorca que soubesse ou não do acidente para comentar. Não passou.

À noite, eu e minha mulher, de mãos dadas, assistimos nosso primeiro programa de televisão a cores. Bebia lentamente sem falar sobre o Lorca, mas pensando no que teriam sido seus últimos trinta dias, que tentativas fizera para sobreviver até que virasse uma nódoa no asfalto. A quem recorrera? Alguém lhe teria dito que eu conseguira emprego?

Nos dias seguintes, voltei lá, voltei à mancha escura na esquina da São Luís. Por que ele não me procurara? Ou por que eu não o procurara? Perguntas que já nascem sem respostas, que dispensam o próprio sinal de interrogação. Apenas doem e mais nada. Depois, tinha muito que fazer, bolar e planificar campanhas. Mostrar e provar que ainda estava em forma. Que competia. Eu precisava agarrar-me com unhas e dentes àquele emprego. Com unhas e dentes.

A escalação

*Para
Lenita Miranda de Figueiredo*

A primeira pessoa que chegou à cobertura foi Laura Gray, naturalmente com vestido novo, preparada por fora e por dentro. Não era norte-americana; adotara o pseudônimo porque ocultava um ridículo sobrenome italiano e porque na mocidade tivera um caso de fim de semana, à beira-mar com um tal Gray, quando perdeu a pureza, mas em compensação achou quatro letras de grande sedução para sua carreira artística.

Aldo, o mordomo de Danilo (Dani), sempre tão impessoal como aquele que Sartre bolou no *Huis Clos*, espécie de faxineiro do inferno, abriu a porta do apartamento e fez com que Laura entrasse no *living*, surpreendida com a escassez de móveis. Dani, no palco e nos estúdios, também sempre optava pelos grandes espaços vazios que possibilitassem maior ação ao *cast*. Não gostava de ver ninguém escondido atrás de móveis, sentando-se e levantando-se a todo momento para fingir naturalidade. Seu *living*, pois tinha muito do espaço infinito dos estúdios fotográficos que frustram qualquer truque do modelo. Sentindo-se quase nua ou observada por câmeras secretas, a atriz desnorteou-se.

— O que a senhora vai beber?
— Nada por enquanto.
— Temos um bom champanha.

Laura jamais recusava algo que lhe parecesse de bom tom. Disse que sim, aceitaria, achando que a noite correria bem, apesar da tensão que causava aquele cenário desconhecido. Estava no desvio há dois anos e o chamado de Dani a enchera de esperanças. Por isso, desde o elevador enfiara-se toda dentro do tipo que lhe dera prestígio, o duma balzaquiana grã-fina ou supostamente rica que sabe pisar o chão dum cenário sofisticado, e que ainda, graças à traquejada elegância, arrebata ou tritura corações menos cautelosos. Sozinha, com o detalhe da taça de champanha na mão, passeou por toda a extensão do *living*, sob o olhar do Aldo, que logo retornou com a garrafa, envolta num guardanapo. Apesar de toda sua aparente estrutura, feita de material frágil, de mera resistência cênica, Laura precisava de diversas doses de qualquer coisa para desinibir. Certamente, não fora assim quando jovem, no início. Nos bons tempos, tinha a segurança das personagens que amava interpretar. Agora, depois dos dois anos de banco de reserva, dá com a obrigação de demonstrar dez anos menos, apavorada com ângulos e luzes de operações plásticas, voltara a sofrer as indecisões e fraquezas da estreante. Champanha, era do que precisava. Com a taça renovada, voltou a circular sobre suas longas pernas. Movida à pilha etílica, precisava andar para mostrar como funcionava.

— Olá, criatura!

Laura voltou-se e viu junto à porta de vidro que separava o *living* da sala de espera, o Sardini que, segundo ouvira dizer, seria o diretor.

— Não ouvi a campainha. Já estava aqui?

— Toquei três vezes. Deve estar muito nervosa. Os nervos atacam a visão, a audição, a voz, tudo. É o diabo!

— Não estou nervosa. Por que estaria? Dani mandou me chamar.

Sardini apertou a mão que ela não estendera.

— Eu que lembrei seu nome, querida.

— Você?

— Dani nem havia pensado em você. Mas por que está com a mão tão fria?

Laura afastou-se na direção do balde onde o champanha gelava. Sardini podia estar dizendo a verdade, mas a intenção era desde já colocá-la na órbita dos seus apaniguados, para cobrar de qualquer forma, mais tarde, o favor da escalação e obter sua aliança na longa conversa que naturalmente teriam com Dani àquela noite.

— Quem telefonou foi o assistente de Dani — ela lembrou.

— Preferi que o convite partisse dele para que ficasse mais comprometido.

— Ah, agora é você quem maneja o Dani?

— Somos carne-e-unha, todos sabem disso.

A memória de Laura voltou a funcionar:

— Mas da outra vez ele o passou pra trás. Seu diretor foi o Azevedo.

Sardini dirigiu-se espontaneamente ao bar-balcão para demonstrar à relutante que tinha liberdade no apartamento de Dani: podia servir-se de qualquer marca, tirar o paletó, praguejar, cuspir. Mas ficara nervoso, não tanto, embora o suficiente para atirá-la pela janela.

— Não acredita então que indiquei o seu nome? Não, não responda. Vou dizer ao Dani que você não serve para o papel, que me enganei, estava bêbado. (Pausa, depois dum gole.) Quer isso?

Laura baixou a cabeça reconhecendo que perdera o assalto.

— Então foi você quem me indicou?

Sardini, diziam, não era bom diretor. Sabia porém jogar com pausas, dramatizar o vazio. Esperou que a interrogação se esgotasse no ar e ordenou:

— Agradeça.

— O quê?

— Disse para me agradecer.

Laura virou a taça e com a voz molhada obteve uma entonação convincente.

— Estou agradecida, Sardini.

Depois veio o conselho, próximo, bloqueando sua tentativa de passeio:

— Espero que agarre o papel com unhas e dentes. Se você perder esta, cairá do cavalo para sempre, e não vá dizer depois que lhe puxaram o tapete.

A atriz sentiu que o assunto estava encerrado; dali por diante não poderia questionar mais se fora ou não indicada por Dani. Tinha que se colocar ao lado de Sardini, concordar com ele e ajudá-lo caso precisasse de mais mãos para amassar alguém. Ou mãos de empréstimo, se a estratégia mandasse conservar as suas nos bolsos. Achou que tomaria sozinha toda a garrafa de champanha.

Sardini sentou-se numa poltrona, numa atitude de paciente espera, cônscio de que Dani costumava se fazer esperar por maior interesse que tivesse em jogo. Inclusive fechou os olhos, imitando o sono dos despreocupados. E assim permaneceu, com os pés sobre um pufe, mesmo após a entrada de Otávio, o escritor, cuja presença surpreendeu Laura, pois todos sabiam que, por excesso de álcool, permanente rebeldia e choques com a censura, freqüentemente era alijado de todas as escalações.

— Aqui estou, Laura — exclamou Otávio com a enganosa suposição de quem se julga indispensável. — Afinal, vamos trabalhar juntos, não? — Seguiu até Sardini que ainda não abrira os olhos. — Quem diria que é capaz de dormir como qualquer bebê? Aposto que tem sonhos lindos.

Sardini abriu os olhos:

— Olá!

Laura pegou sua raqueta e deu o saque:

— E Otávio, também foi escalado por você?

Sardini voltou a cerrar os olhos:

— Não.

Otávio detestava Sardini há quinze anos e diante da negativa sentiu que tinha gás e saúde para mais quinze.

— Me agrada saber que estou aqui contra a sua vontade. Esta é a primeira vez que perde uma parada para mim. Vou beber para comemorar — concluiu, dirigindo-se ao bar.

Sardini saltou de pé:

— Já se julga escalado?

O experiente Otávio, com seu curriculum de tombos, sabia que não, mas quem jogava com Sardini não podia mostrar um tostão de medo se não estaria perdido. Procurou o rótulo mais caro do bar e serviu-se, pensando na resposta.

— Dani falou comigo pessoalmente.

— Pessoalmente?

— E me ofereceu o contrato em melhores bases do que pretendia.

— Quantos uísques ele já tinha tomado?

— Nenhum, Sardini. Foi hoje às onze da manhã. Ele só bebe à noitinha, você sabe. Estava bastante lúcido. Disse que pensara em muitos nomes, peneirou bastante até se decidir por mim. É definitivo, senhor diretor. Desta vez terá que me engolir.

Sardini tinha muita cancha de levar golpes na cara, mas era um sonado que sempre encontrava fôlego para reação. Não em tom de ameaça, porém de casual advertência, lembrou:

— Esta é uma corrida de obstáculos, Otávio. E o tiro de partida ainda nem foi dado. Não cante vitória. Isso não é bom. Em todo caso, dou-lhe um lance de vantagem. Fique sabendo que farei o possível para derrubá-lo. Esteja em guarda.

— Obrigado pelo aviso, mas era desnecessário. Sempre esteve contra mim. Mas agora Dani quer que eu escreva. Posso não ser o melhor, porém ele decidiu.

— Não diga a Dani que confia nele tanto assim. Ele é capaz de morrer de rir.

A Otávio não servia uma discussão tão cedo. Devia poupar-se e descontrair pelo álcool. Sentou-se e vendo Laura Gray de pé achou que estava muito bonita, apesar da idade, e que talvez tivesse agora a oportunidade de dormir com ela depois da recusa que ouvira há vinte anos. Pensou em aproximar-se, nostálgico, mas notou que mesmo de olhos colados Sardini a dominava. Atrizes e atores em fase ascendente ou decrescente sempre dependiam dele, pois era um gênio reconhecido em manter pessoas na corda bamba. Os que tinham dificuldade em subir ou receio de cair, acabavam segurando-se nele, engrossando a fileira dos agradecidos e dos que contribuíam para melhorar sua imagem. Otávio sabia tudo sobre Sardini, apenas ignorava como derrotá-lo. Por isso já se arrependia de ter revelado muito cedo o seu trunfo, acionando todos os mecanismos de ataque e defesa do seu incansável inimigo. Agora, era esperar que Dani chegasse. Logo no primeiro momento já saberia se fora honesto ou não pela manhã. Não estava seguro, pois a vivência ensinara-lhe que os poderosos só têm compromissos com seus interesses, que podem mudar ou aprimorar duma hora para outra.

Laura continuou dando seus passeios pelo *living*, com ou sem a taça de champanha na mão, Sardini na poltrona, olhos fechados e pés no pufe e Otávio plantado junto à janela, olhando difusamente para a cidade do vigésimo quinto andar do edifício, lembrando outras noites que lá estivera e que saíra derrotado. Todos os três sob o olhar do Aldo, mais sartreano que nunca na sua muda e irônica observação, quando tocou a campainha e Roberto Malta chegou com sua exuberância e certeza.

— Eh, o que é isso? Um velório? O que faz nessa janela, Otávio? Vai se jogar? Não faça isso: o asfalto está molhado.

Certamente Roberto, o galã mais amado e bem pago do país, não pertencia ao *staff* do Dani, não era homem de cúpula, mas suas opiniões costumavam ser acatadas porque ele representava a força e o prestígio populares. Por outro lado, convocá-lo para participar duma escalação era a garantia de contar com seu charme no elenco. Dani queria envolvê-lo desde o início para que cedo ficasse tarde para escapar ou pedir um salário que estourasse o orçamento. Afinal, o homem que estava lá dentro, fazendo-se esperar, criando tensão pela ausência, não dava ponto sem nó, embora ninguém ainda entendesse que nó significava a chamada de Laura, tão fora de forma e cartaz, numa angustiosa noite de decisões.

— Espero que o rei não demore — disse Roberto Malta. E aduziu, voltando-se ao faxineiro-do-inferno: — Diga a ele que tenho outro compromisso.

Aldo ouviu e não se moveu um único milímetro, o que divertiu Sardini. Mas era pouco: simulando uma ordem, ergueu a voz:

— Não ouviu o que ele mandou? Vá chamar o rei! — E como o mordomo de molas ainda não se movesse, Sardini concluiu para o entendimento do galã: — Todos aqui são iguais diante de Dani. Se está com pressa, considere-se fora do elenco.

Roberto engrenou alguns passos na direção da porta, mas como ninguém pretendesse impedir sua retirada, muito pelo contrário, deu uma paradinha, girou sobre os calcanhares e foi ao bar saciar uma sede improvisada. Todos seus movimentos de artista eram normais e os treinados músculos da face sustinham um sorriso pouco contagiante. Levou a mão atrás da orelha onde devia haver uma pulga: naquela manhã lera numa das malditas colunas que Dani descobrira e talvez contratasse um bonitão de vinte e três anos que ganhara num auditório um concurso de beleza masculina. Não dera importância no momento, porém qualquer minúcia, pilhéria, informação, tudo, ficava alarmantemente significativo no apartamento de Dani. Pensando nisso, num provável concorrente, dezesseis anos mais moço, arriscou uma pergunta:

— Vem alguém mais?

Sardini, o único que ouviu, sacudiu os ombros, como se não soubesse, e de fato não devia saber.

Então, vestindo um robe dum azul pesado, de bom efeito para entradas inesperadas, e só pressentido pelo diligente mordomo, Danilo surgiu no *living* sem cumprimentos como se estivesse com muita pressa para acabar tudo.

— Não estou disposto a amanhecer discutindo — foi dizendo. — Mas não tenham ilusões, isso me dá dinheiro.

Sardini, com sua maldade viciosa ou interesse em descartar o galã, lembrou:

— Roberto tem outro compromisso.

Dani tinha despertador e hora certa para imobilizar ou destruir alguém e aquele não era o momento de Roberto. Geralmente, começava fraturando as tíbias do mais forte, mas às vezes não acontecia assim. O certo, todos sabiam ou sentiam mais que sabiam, o rei, como sempre e sempre mais nessas ocasiões, tinha pavor que um fracasso inesperado ou incontrolável interrompesse sua seqüência de sucessos. A derrota, a queda, para ele estava sempre perto, rondando, magnética e hipnótica, como suas irmãs gêmeas. E esse medo diário e diurno à noite se agravava como qualquer febre ou doença.

— Foi o que ele lhe disse, Sardini, mas não me disse. Podem descontrair, amigos — propôs Dani como se fosse a ordem dum gato aos ratos da vizinhança.

Aldo aproximou-se e entregou-lhe papel e esferográfica; Laura emocionou-se pois nunca estivera numa lista de Dani e Otávio lembrou das vezes que fora incluído e riscado depois. Roberto, ao contrário, nunca estivera fora, e Sardini jamais entendera por que fora excluído da última vez. Apenas o mordomo estava tranqüilo, lustrando seu tridente com um trapo de camurça.

— O que acha do Paulino para fazer o papel do Neco, o garotão? — perguntou Sardini tentando pôr no poleiro o primeiro de seus apaniguados.

Dani apontou o polegar para baixo sem comentário. O escritor gostou disso, pois a negativa romana acabava com um dos gladiadores do Sardini. Isso valeu mais um gole para Otávio, crendo que o César da cobertura não iria pela cabeça do diretor.

91

— Vou colocar no papel o sobrinho dum patrocinador — esclareceu Dani. — É inexperiente, mas você vai ter que se virar com ele. Tem um personagem aqui, Gustavo. Quem pode fazer isso?

Então Otávio entendeu por que estava ali entre rótulos e especiarias. A sua hora e vez ainda não chegara. Desde as onze, quando encontrara o Dani e recebera o convite, vinha ruminando uma ilusão.

— Quero uma explicação — disse o escritor.

Sem ouvi-lo, Dani repetiu:

— Gustavo, quem pode fazer?

— Dê o papel para o Edgar — sugeriu Sardini. — Ele tem melhorado muito. Pode dar, eu me responsabilizo.

Dani ainda vacilava, o que possibilitou uma nova investida de Otávio, já de pé e sem copo na mão.

— Agora quero saber tudo. Que história é essa de Neco e Gustavo? Ainda não escrevi nada. Pensei que fôssemos discutir o *script*. Aliás, trouxe uma sinopse no bolso. O trabalho vai ser meu, não?

As perguntas exigiam respostas diretas, mas Otávio sentiu-se incomodado ao ver que os olhares convergiam para ele, inclusive os do irreal mordomo de Dani. Seria ele um marido enganado, o último a saber? No entanto, ninguém apressava-se em responder, muito menos o homem do robe, que voltou a segurar a esferográfica.

— O Edgar é uma bicha louca, não dá.

— Me responsabilizo, chefe.

— Assunto encerrado: não dá. Vou escalar o Pedro. O papel lhe cai como uma luva.

Otávio imaginou num espelho o ridículo de sua situação no meio do *living*, fazendo perguntas que nem mereciam respostas, embora seu emprego, salário e continuidade fossem o tema. Olhou para Roberto, que moveu a cabeça como se a estimulá-lo.

— Espere, Dani... Preciso duma explicação. Vou fazer o *script*, não vou?

— Alguém disse que não?

— Então, se não escrevi nada, como já existem personagens?

— Já existe um resumo — disse Dani com a calma que antecedia suas tempestades. — Você terá apenas que desenvolvê-lo. Uns acham que é capaz.

Otávio olhou um a um, mas o galã, pondo gelo em seu copo, não mais o estimulava. Já havia uma história, o que significava que não faria jus a um alto salário. A mesma proposta teria sido feita a outros, que a recusaram. Não queriam propriamente um autor, mas um redator, submisso a todas maquinações. Se houvesse sucesso, não lhe caberia honra alguma como mero executante. Tirou sua sinopse do bolso e chegou-se a Dani.

— Não li sua sinopse, mas tenho uma muito boa. Escrevi e reescrevi isso muitas vezes e sei que tem força. Perca dez minutos e leia.

Dani pegou as três ou quatro páginas que Otávio lhe oferecia e sem o menor esforço ou hesitação, como se atendendo a um pedido do próprio convidado, rasgou-as e depositou os pedaços na mão do mordomo, que saiu com o lixo. Sardini foi o único que riu. Roberto adiantou-se e, conduzindo o escritor pelo ombro, afastou-o na direção do bar.

— Não irrite o Dani — pediu.

— Mas minha história é boa — balbuciou Otávio.

— Aceite o que ele propõe. Você não está em condições de discutir.

A essa altura ficara patente para Sardini e Laura que Otávio mentira ao dizer que Dani lhe falara em bom ordenado. Humilhado também por isso, o escritor refugiou-se no bar, cheio de ódio, mas incapaz de reação. Ficou como mero espectador, enquanto infame tetrarca pedia aos presentes opiniões e palpites que instantaneamente recusava.

— Dê esse papel ao Carlão — disse Sardini. — Ele ganhou o prêmio de melhor coadjuvante.

— Ganhou?

— Ganhou.

— Então vai ficar no banco para que não dê tanto valor a esses trofeuzinhos.

Era o tipo de humor predileto do Dani. Por outro lado, jamais escalava alguém cuja fama não lhe devia. Quem entrasse no seu elenco precisava fazê-lo de cabeça baixa, sem rebeldia ou pretensões, ciente de que poderia ser podado a qualquer momento, como previa o contrato. Quem viera da sarjeta como Danilo Oliveira da Silva, dos porões da sociedade, abrindo seu caminho a socos e pontapés, não podia bancar o bonzinho, pois a auréola de santo às vezes ajusta-se perfeitamente ao pescoço como forca.

Aí Aldo aproximou-se e disse que chegara alguém.

– O Pontes.

– Está bêbado?

– Parece que sim.

– Não lhe pedi que viesse aqui. É atrevimento demais! Diga que não posso recebê-lo.

Aldo não teve tempo para isso, pois empurrando a porta de vidro, o Pontes, um velho ator que muitos julgavam morto, entrou na sala. Estava bêbado, sim, e com uma alegria de quem ganhara na loteca.

O produtor levantou-se para jogá-lo para fora pessoalmente, atitude democrática que tomava às vezes.

– Saia, Pontes. Não lhe disse que o papel é do Simão, não lhe disse isso, seu bêbado?

– Disse, lembro, por isso que estou aqui.

– Vamos. Suma. Pegue a reta.

Pontes segurou Dani pelos ombros:

– O Simão... o Simão foi atropelado. Estive no hospital. Dei-lhe sangue. Ele está mal. Vai passar o resto da vida numa cadeira-de-rodas. Então, o papel é meu, não?

Dani riu, soltou o riso lentamente:

– Isso é para aqueles que não acreditam em Deus – disse à sua platéia. – Este homem acaba de ser beneficiado pela Providência. Bem, meu sócio lá em cima sabe o que faz. – Dirigiu-se a Sardini. – Ponha o Pontes no elenco.

O bêbado Pontes beijou Dani na testa e cumprimentou os outros, um a um, inclusive o Otávio, mão mole, que parecia ter deslocado o pulso, e então pediu bebida. Laura foi a única que quis saber em que hospital o colega estava internado, mas Pontes em sua justa euforia não lembrava.

A escalação continuou, Dani sempre atento para peneirar atores com força no sindicato, nordestinos, bichas, sapatões e contestadores da revolução. Vetava também nomes muito badalados pelas colunas, que sonhavam com grandes salários. Certamente, as simpatias ou antipatias pessoais eram decisivas bem como o pedido de pessoas influentes. Os que não entravam mesmo eram os velhos amigos de Dani, os companheiros das vacas-magras, que faziam de tudo para segurar-lhe no saco ou relembrar históricos favores.

— Parece que chegamos ao fim — disse Sardini um tanto aliviado.

— Falta um nome.

— Qual?

— Ponha aí o bonitão que ganhou o concurso de beleza masculina. Já o contratei hoje à tarde.

Todos olharam para Roberto com a curiosidade de quem acompanha o chute de um pênalti. O galã que todos amavam abriu a boca num visual elementar de espanto. Ocorreu a Otávio que a vida como ela é não é bem interpretada. Apenas no palco ou no estúdio é que ela expressa seu total realismo. A voz que Roberto emitiu também era má, de dublagem mal feita.

— Está dizendo que aquele garoto vai ser o galã?

— Estou dizendo — respondeu Dani, em tão poucas palavras dando uma lição de como se representa no Actor's Studio. Vinte milhões de mulheres vão querer dormir com ele. Inclusive nossas noivas, irmãs e mulheres. Não me refiro à mamãe porque ela tem catarata nas duas vistas.

— E eu? — explodiu Roberto — O que vou fazer? E o que estou fazendo aqui?

— Jamais eu o deixaria perdido na floresta, Roberto. Você vai ser o pai do galã.

— Pai? Eu, pai?

— Não se preocupe, você vai convencer como pai do garoto. Ninguém dá para ele mais que dezenove. Com aquela pinta, não poderia ter um pai feio, e ainda está em forma, Roberto.

Era a primeira vez que o amado galã ia fazer papel de pai, a não ser de bebezinhos. Pai dum moço de um metro e oitenta, um pai simpático, moderno, camaradão, mas com armas e bagagens para se tornar um avô. Para um galã profissional isso é o começo do fim ou já é o fim.

— Eu não posso aceitar, Dani — murmurou Roberto, agora, sim, com boa entonação e performance. — Tenho trinta e nove anos mas ainda não estou velho. Se aceitasse, perderia o cartaz, mudaria minha imagem, estaria perdido.

— Nada como o tempo para passar — comentou Dani lembrando uma frase que lera ou ouvira. — Você já é um balzaquiano, Roberto. Tem espelho, não tem? A história pede dois galãs, um jovem e um maduro. Você vai ser o maduro. Não podemos colocar um coroa de cinqüenta no seu lugar.

— Escale outro, Dani. Livre-me desta.

— Não gostaria de fazer?

— Não, sinceramente.

Dani humanizou-se com um sorriso:

— É lamentável, Roberto, é lamentável que tenha um contrato de dois anos. E ele não especifica que tipo de papel deve ou não fazer. Você não tem escolha, amigo velho.

— Mas eu posso me recusar.

— Pode até não fazer, nenhum contrato é tão rígido assim. Mas terá que pagar a multa contratual, que é de cinqüenta por cento. Mais de um milhão de cruzeiros. Assine um cheque e não se toca mais no caso.

Sardini levantou-se e foi rir à janela, a face voltada para a madrugada. O intocável e pretensioso galã, que tanto trabalho dava aos que o dirigiam, nunca aceitando conselhos ou advertências, intransigente na assinatura dos contratos, sofria sua primeira e grande derrota. Mais de um milhão de cruzeiros de multa, para trabalhar onde, depois? Sardini depois do riso de desabafo, aliviado, voltou a acompanhar a empolgante cena, com o interesse e concentração de quem pagaria mil por uma poltrona de primeira fila.

— Dani, eu não tenho esse dinheiro. Você sabe.

— Qualquer banco ou pessoa lhe emprestaria.

— Sabendo que estou sem contrato? Nunca.

Dani, o magnânimo, propôs:

— Eu mesmo lhe empresto com uma promissória para trinta dias.

Roberto chegou-se a Dani, tocou-o, desarvorado.

— As fãs querem me ver como galã. O público exige que eu encabece o elenco, conquiste a dama-galã, lute contra todo mundo e case com ela. Foi sempre assim. Isso não pode mudar, Dani. Reserve o novo galã para outro *script*.

— Já pensei muito nisso, Roberto. Mas de fato não cheguei a

nenhuma conclusão. Por isso mandei fazer uma pesquisa. Você sempre acreditou em pesquisa, não? Porque sabia que lhe favorecia.

— Mandou fazer uma pesquisa? — indagou, incrédulo, Roberto, afeito aos seus blefes.

— Mandei.

— Não é verdade.

— É.

— Prove isso.

Dani deu alguns passos até um móvel e voltou com uma pasta que entregou a Roberto; ocupou-se em seguida de finalizar a escalação em nada preocupado com a reação que o ai-Jesus do passado pudesse ter. Olhou então para Laura e esboçando o que parecia ser um sorriso, anunciou:

— Vai ter sua grande oportunidade, Laura.

Ouviu-se um ruído: era a pasta da pesquisa que Roberto atirava ao chão com toda a força. Pela primeira vez, o viam descontrolado, o que poderia ser bom entretenimento.

— Isto aqui é falso! Estes números mentem. Não é possível! Aqui apareço em quarto lugar na preferência. Sempre estive em primeiro. Apenas o anão Jujuba às vezes aparecia na minha frente! — Chegou-se, envelhecido, sim, envelhecido, a Sardini e perguntou: — Você acredita nisso? — E como o diretor nada respondesse deu um passo, ficando cara a cara com Pontes: — Acredita?

— Não entendo dessas coisas.

— Ainda ontem saí para fazer compras. Nem pude descer do carro. Os fãs me cercaram, me rasgaram a camisa, tive que me refugiar na loja. Como nos melhores tempos! E essa pesquisa vem dizer que minha popularidade está caindo...

Dani, com cera nos ouvidos, pegou com as suas as duas mãos de Laura Gray, e com sorriso que só Bela Lugosi seria capaz de produzir repetiu e prosseguiu:

— Sua grande oportunidade, minha boa Laura. Vai ser a amada esposa e o sincero amor do nosso querido Robertão. Aposto que nunca fez par com um ator tão importante. O quarto da preferência popular!

Ninguém viu ou ouviu a locomotiva, mas ela entrou no *living* e jogou Roberto contra a parede. Pontes, gaiato, viu-o com as duas mãos no vértice das pernas.

— Eh, Dani, essa é demais.

Roberto continuava como o centro do espetáculo; Sardini estava empolgado, Otávio encheu mais uma dose, Pontes procurou melhor ângulo para ver, e Laura sentiu-se antecipadamente ofendida.

— Demais por quê? — ela perguntou. — Não mereço fazer o papel de sua mulher?

O galã mesclou desculpas com argumentos:

— Não é o que quero dizer. Eu adoro você, Laura, respeito-a. Mas você não pode ser minha mulher. É mais velha que eu, todos sabem que é mais velha que eu, e embora seja boa atriz está esquecida há muitos anos! Nós não combinamos como par. Me perdoe, Laura, mas todo mundo vai pensar assim...

— Você está me chamando de velha?

— Eu não estou chamando você de velha.

— Veja suas olheiras! Essas bolsas debaixo dos olhos! Até os cabelos está perdendo! Por que não pode ser meu marido?

— Laura, não quero ofendê-la, mas aparenta muito mais idade que eu... Depois, sempre fez papel de mãe, de tia, de viúva. Tem boa presença, concordo, mas para uma balzaquiana. Você não passa como uma jovem mãe: é uma coroona bem conservada. Eu teria que pintar os cabelos de branco para convencer como seu marido.

Laura deu uma gargalhada, ofendida, mas vitoriosa, e foi abraçar, de corpo inteiro, o rei, permanecendo agarrada a ele no seu desabafo convulsivo. Dani não a acompanhava em sua alegria e vingança, com os olhos fixos em Roberto, como se algo que ele dissera o impressionara. Afinal, tinha-os todos atados em seus dedos, onde saíam os cordéis dos marionetes.

— E com outra você trabalharia? Por exemplo: Bárbara. Acho que formariam um belíssimo par. Ela é um tanto nova para ser mãe do garoto, mas o que importa a realidade?

Roberto sacudiu a cabeça.

— Está certo. Com ela, trabalho.

Aí o *spot-light* focou o rosto de Laura, que brecou seu riso tão instantaneamente que se ouviu a derrapagem do seu coração. Ela olhou para Dani, para Roberto, para os dois, e entendendo que a atiravam para fora do elenco para retocar conciliações, rompeu seu cordel de marionete e começou a protestar:

— Mas o papel era meu, não era? Dani, você falou. Vai mudar só porque ele quer? Não vai fazer isso comigo, não? Você faria, Dani? Esperei dois anos por uma chance. O papel foi feito pra mim, eu sinto.

Dani passou a mão amiga no rosto de Laura:

— Você é uma mulher superelegante e entende de modas. Vai tomar conta do guarda-roupa.

— Disse tomar conta do guarda-roupa? Dani, está brincando?

O produtor foi ao telefone. Consultou uma agenda e começou a discar. Roberto adiantou-se e disse-lhe baixo:

— É melhor não fazer isso diante dela.

Dani concordou e saiu do *living* para telefonar à Bárbara do seu escritório. Dera um belo lance, conservando Roberto no elenco, em segundo plano, abrindo caminho para um novo galã, e sem desgostá-lo completamente. A experiência ensinara-lhe que a melhor técnica era sempre tirar tudo e depois oferecer ou recuar um pouco. No escritório, encostou-se à mesa e começou a discar. Esquecera, porém, de fechar a porta. Totalmente fora de si, como uma nau sem rumo na tempestade, Laura surgiu diante dele, tentando impedir que completasse a ligação. Dani empurrou-a, jogando-a sobre um divã. Voltou a discar, vendo a atriz, que de quatro, numa posição ridícula, caminhava até ele. Não entendeu a princípio o que ela pretendia naquela postura. Mas ao discar o primeiro número, sentiu os dedos dela na braguilha de sua calça. Discou outro e mais outro, porém espaçadamente. Enquanto isso, Laura agia depressa, já tendo desabotoado alguns botões e começado a puxar, com a ponta dos dedos, o pênis do produtor para fora da calça. Dani não a impediu e discou os sete números. Ouvindo o chamado, sentiu a boca de Laura procurando fazer com o maior requinte aquilo que normalmente já sabia fazer bem. Contraindo todo o rosto, mantinha o fone no ouvido, desejoso de que não atendessem naquele precipitar de emoções. Já vivera muitas com suas atrizes e protegidas, mas aquela era nova e o imprevisto agradara-lhe. Atenderam, afinal, e ouviu uma voz.

Perguntou:

– Bárbara?

Ouviu dizer que ela não estava em casa e sem outra pergunta ou agradecimento, foi desligando o telefone, já todo voltado a Laura, que se agarrara às suas pernas, quase na altura da cintura, enquanto ele firmou as mãos em sua cabeça, imprimindo-lhe movimentos contínuos para facilitar tudo. No final, notou que Laura hesitava ou resistia, e que já tentava levantar-se. Não era homem de implorar, humilhação que seu posto não permitia, mas podia prometer:

– Vamos que o papel é seu.

Laura deixou que ele movimentasse sua cabeça com suas mãos enérgicas sem perceber que alguém empurrara a porta por um instante para dar a Dani algum recado. Momentos depois, ela erguia-se e corria para o banheiro, ainda de cabeça baixa, com a peruca fora de lugar, enquanto o rei abotoava-se, recompunha o robe e dirigia-se para o *living*, com a dignidade inerente à sua posição.

Ao voltar ao salão, Dani teve uma surpresa, que logo imaginou ser coisa de seu sócio lá de cima: a esplendorosa mulher que lhe abria os braços, dentro de um casaco de pele, e que já o beijava com a gratidão que as atrizes sabem expressar nos lábios, festejada por todos os presentes, era BÁRBARA! O produtor puxou-a para junto de si, vendo o galã sorrir, parcialmente recuperado dos golpes recebidos.

– Soube que estou no elenco – disse Bárbara. – Roberto me contou tudo. E pra mim não importa fazer o papel de mamãe.

– Claro que está – respondeu Dani. – Amanhã assinaremos os contratos.

– Você não vai se arrepender, Dani – garantiu Bárbara, abraçando-o ainda.

– Nunca me arrependo do que faço.

Dani tinha dito isso ou qualquer outra coisa assim quando Laura Gray depois de ter lavado a boca e recolocado a peruca entrou no *living*. O visual explicou tudo. Recebeu o choque e ficou paralisada a olhar para Bárbara e Dani. Que maldita idéia ela tivera de ir lá aquela noite!

– A Laura aí também está conosco – informou Dani à moça do casaco. – Vai cuidar do guarda-roupa. Tem um incomparável bom-gosto.

Pontes, aquele que abrira a porta do escritório e vira tudo, pegou Laura pelo braço e levou-a ao bar.

— Vai precisar dum tremendo gole, não?

— Como ela apareceu aqui?

— Sei lá! Simplesmente apareceu. Telepatia ou coisa assim.

— Acho que não vou aceitar o lugar de roupeira — disse Laura.

— Depende de quanto tem no banco.

— Nada — disse Laura. Amaldiçoadamente nada. Há dois anos que não trabalho.

— Vou lhe vender um conselho. Pague quando puder: aceite.

— Devo aceitar?

— E continue fazendo também aquilo que fez a Dani no escritório. Ia entrando para avisar que Bárbara chegara e vi tudo. Continue, Laura. É sempre uma forma de intimidade com os poderosos.

Laura pegou um copo que Pontes lhe passava, virou, largou-se numa poltrona e apagou-se por algum tempo. Não viu Sardini que, volteando o corpo de Dani com o braço, congratulava-o, entusiasmado.

— Foi uma boa substituição: trocar Laura por Bárbara.

— Acha que sim, amigo?

— O mundo acha.

— Como ela deu as caras aqui? Foi a primeira vez.

— Não sei.

— Tinha pedido para ela vir?

Sardini vacilou porque Dani não apreciava que ele se adiantasse mesmo nas boas decisões.

— Que tal um pouco de mistério?

— Mas há um problema, querido.

— Qual?

— Bárbara vai querer no mínimo o dobro do que Laura aceitaria. Ou o triplo. E o orçamento já está estourado, sabia? Portanto, espero que me desculpe.

— Desculpar o que, Dani?

— O aumento que lhe prometia... miau. Parte do dinheiro de Bárbara vai sair do seu.

Sardini não podia entender, não queria entender.

— Não pode tirar esse dinheiro de outra despesa ou pessoa?

— Não, meu faixa.

— Mas não posso ficar mais seis meses ou um ano com o mesmo salário.

— Eu também penso assim. Aliás, por causa disso que convoquei a Laura. Penso em tudo. Mas você foi um entusiasta da troca, não foi? Não abriu a boca uma só vez para defendê-la.

— Mas não pensava que a coisa me atingisse!

— Realmente não pensou.

— Bem, e eu como fico?

— A resposta é sua. Não ignora que posso contratar um bom diretor pela metade do que lhe pago. — E com voz doce e firme arrematou, olhando para a porta de vidro: — Se não está satisfeito, dê um tchau à turma, e pode ir indo que me incumbo do resto.

Sardini nem fez cara feia, riu e acendeu um cigarro. Já imaginava que não sairia ileso daquele engavetamento de vagões. Todos já tinham suas escoriações e fraturas.

— Não quero desequilibrar o orçamento — disse com alta e covarde sabedoria. — Jamais lhe criei problemas. Posso me sacrificar mais um ano.

Dani deu uma boa gargalhada.

— Será fácil! Não temos inflação! Agora vou bater um papinho com Bárbara. Ela está realmente sedutora. Ou eu que estou muito feliz. Tive até agora uma noite perfeita. Até o atropelamento! O Pontes trabalha por qualquer ninharia.

Sardini, quando Dani se afastou, sentiu por ele um grande ódio e uma grande impotência. Que adiantara maquinar tanto, se era mais uma das vítimas? Secretamente seria o maior inimigo do rei, e ao menos tentaria jogar todos contra ele até que seu trabalho se tornasse impossível. Viu Otávio indo para o interior, com certeza para o banheiro. Foi atrás.

Otávio urinava seu uísque quando ouviu leves batidas na porta. Abriu e viu Sardini com uma nova cara que supôs ser de borracha. Mas não era.

— Preciso falar com você — disse o diretor. — Mas boca-de-siri, faz de conta que não lhe contei nada.

— Sobre?

— O *script*.

— O que tem o *script*?

— É seu.

— O meu foi rasgado em mil pedaços, como você viu.

Sardini tinha jogado uma grana na mão de Otávio.

— Me refiro a uma sinopse que você fez há um ano, mais ou menos, e que Dani recusou. Está lembrado?

— Ele já me recusou umas três.

— A que se passa num colégio de moças.

— A do colégio de moças? Sim. É minha. Ele disse que era uma droga e não quis.

— É esse *script* que vai.

— Mas ele lembra que é meu?

— Claro que lembra. Por isso o convidou para desenvolvê-lo. Assim não poderá acusar ninguém de plágio e ganhará como mero redator daquilo que você próprio criou. No lugar de cem mil por mês, receberá no máximo trinta. E não poderá dar bronca.

— Mas aqueles nomes, Neco, Gustavo, não são de minha sinopse.

— Dani é esperto: mudou os nomes e fez algumas alterações no *script* para você engolir o sapo e calar a boca. Entendeu?

Otávio pôs a grana no bolso e voltou ao *living* arrasado. Dani queria que o próprio autor endossasse o plágio. Um plano diabólico e mesquinho, envolvendo um pobre diabo que não tinha possibilidades de protestar. Pisara em todos àquela noite. E que pisão não dera em Sardini para ele se bandear? A primeira pessoa que viu foi Laura, ainda largada na poltrona, com os olhos no infinito. Roberto conversava com um novo personagem que chegara, o tal jovem que vencera o concurso de beleza masculina e que encabeçaria o elenco; parecia, pelo menos por fora, mais conformado; Pontes com um papel na mão lia e relia seu nome na escalação; durante algum tempo, teria dinheiro para comer, afastando temporariamente a possibilidade da Casa do Ator. Num canto, sentados, estavam Dani e Bárbara, ele falando baixinho e ela encantada com a atenção que o rei lhe dispensava. Otávio foi ao bar; serviu-se nova dose bem reforçada, ainda não crendo totalmente no que Sardini confidenciara quando o diretor passou por ele e enfiou-lhe na mão quatro folhas datilografadas. O modesto escrevente florentino pegou o *script* e foi lê-lo sentado ao lado dum dos abajures do *living*. Antes de concluir a leitura da primeira página, já solidificara a certeza: era o seu, era o que escrevera e fora recusado por Dani no ano passado.

Dani dava uns beijinhos fraternos no rosto de Bárbara, esquecendo a mão sobre suas coxas, quando o insignificante *playwriter* aproximou-se e foi dizendo, como se pertencesse à sua corte:

— Preciso falar com você, Dani.

— Amanhã, às onze, em meu escritório.

— Tem que ser hoje.

— Então comece.

— Assunto particular.

— Se é sobre dinheiro, amanhã às onze.

— Não é sobre dinheiro.

Dani deu outro beijinho no rosto de Bárbara, levantou-se e seguiu para o escritório, acompanhado de perto por Otávio. Disfarçadamente, Sardini observava o lance, enquanto puxava qualquer conversa com o mordomo.

Ao chegarem ao escritório, Dani disse a Otávio:

— Não torne a fazer o que fez. Detesto ser perturbado quando estou com um dos meus convidados.

— Eu li a sinopse – declarou Otávio.

— Para dizer isso que me chamou aqui?

— Eu já a conhecia há mais de um ano.

— Gostou? – perguntou Dani sem se alterar.

— Ela é minha! Eu a escrevi. Você a recusou, está lembrado?

Dani sacudiu os ombros; é uma observação comum, mas foi o que fez.

— Todas as estórias se parecem um pouco.

— O que você quer? Que eu faça um plágio de meu próprio trabalho?

— Melhor do que ser plagiado por outro, não? Até que fui camarada.

— Mas quero ganhar um salário normal, isto é, ganhar o que cabe a uma estória original, e não por simples adaptação.

Dani, o apelido de Danilo Oliveira da Silva, oferecia falsa intimidade para os incautos. Na realidade, não gostava de ser tratado como um igual e que levantassem a voz como se lhe dessem ordens. Fechou a cara:

— Volte ao salão, Otávio. E tome um digestivo. Está bêbado.

— Não estou bêbado.

— Amanhã vai arrepender-se do que está me dizendo, todos se arrependem quando falam assim comigo e depois voltam com as calças na mão.

— Dani, se a sinopse é minha, exijo o pagamento que mereço. Trinta mil é pouco para um escritor que cria.

— Quem falou em trinta?

— É o que estou supondo.

— Pois vai levar vinte e dar graças a Deus.

— Graças a Deus?

— Bem sabe que ninguém lhe oferece nada devido às suas ligações com o Partido Comunista.

— Não tenho ligações com partido algum nem me interesso mais por política.

— Se não tem, já teve, e é a mesma coisa. Vamos assinar o *script* juntos: Danilo Oliveira da Silva e Otávio Monteiro, assim a censura não implicará com seu nome e você ganhará tranqüilamente o seu dinheiro. Agora vá tomar o digestivo.

Otávio quis dizer qualquer coisa, mas Dani saiu do escritório satisfeito por imaginar ter posto tudo em pratos limpos. O escritor continuou lá, pensando no que fazer, quando o mordomo entrou.

— Seu Dani não gosta que ninguém fique aqui.

Otávio deu uns passos na direção da porta e ao passar pelo mordomo empurrou-o, dirigindo-se ao salão, furioso. Adaptador e co-autor do seu próprio trabalho! Seria assim tão dócil que qualquer um o amaciaria com algumas doses de uísque? Mas talvez apenas estivesse bêbado como Dani dissera. Roberto, com todo o seu cartaz, fora dobrado. Laura convertida em roupeira e Sardini também devia ter levado seus pontapés-no-saco. Colocar o rabo entre as pernas era sempre para todos a solução final.

Pontes foi ao seu encontro:

— Já soube de tudo, a estória é sua, mas não estrile, lembre que está na merda, como eu estou na merda, Laura está na merda, Roberto está na merda, todos que estão aqui. Até a belezoca da Bárbara está na merda e ainda hoje vai chupar o pau dele.

— Vocês são uns chupadores, mas eu não.

— Otávio, eu já o vi de quatro, já o vi pedindo dinheiro emprestado pra tomar uma sopa no china. Aceite o que ele dá e faça cara alegre.

— Quem já perdeu tudo, Pontes, não tem mais nada a perder.

— Temos, sim, oxigênio. Sempre alguém pode nos tirar o oxigênio.

Otávio distanciou-se do reles Pontes; Sardini puxou-o para trás duma coluna onde Dani não pudesse vê-los.

— Falou com ele?

— Dani não quer conversa. Vai assinar o *script* comigo.

— Quanto lhe pagará?

— Vinte mil.

— Talvez dê quinze na hora de assinar, como sempre faz. Com os descontos, receberá doze. Vai topar? No seu lugar, resistiria. Não encontrará quem escreva por menos de cinqüenta.

Era mentira, Otávio sabia. A fama ilude e os escribas acabam aceitando qualquer dinheiro. Com a exceção de alguns, todos os outros assinavam no escuro. Até aí racionava, mas quando viu o mordomo ligar o som e Dani dançar com Bárbara junto à janela, com os movimentos do *rock*, seu cordel de marionete rompeu-se e marchou contra o rei.

— Não vou escrever pra você – disse.

O homem da cobertura continuou dançando, embora todos se aproximassem para mais uma cena de emoção e *suspense*, espécie de chave-de-ouro de que a noite necessitava.

— Quero que enfie seus vinte mil no rabo!

Era demais. Ninguém jamais falara assim com Dani com respeito a ele e a seu sócio lá de cima. Apesar da insolência, continuou a dançar, forçando a assustada Bárbara a acompanhá-lo.

— Você não fará hoje comigo o que fez com os outros.

O mordomo apanhou Otávio pelo braço com dedos de aço, mas Otávio empurrou-o contra a coluna. Desta vez Dani parou de dançar e com um olhar ordenou ao serviçal que revidasse. Parece que ele esperava mesmo por uma ordem assim, desde o empurrão que recebera no escritório. Avançou contra o insubordinado para arrastá-lo até a porta, mas encontrou uma resistência, que justificou a torcida de Laura e de Sardini, embora muda. O autor de *scripts* estava alcoolizado, e não era acostumado a esforços braçais, mas o Biotônico que devia ter tomado na infância funcionou e acabou rolando com o faxineiro sartreano pelo chão. Roberto, o galã, já em estado de capacho, tentou erguer os dois, porém também acabou caindo, enquanto o biônico Otávio levantava-se para agredir o anfitrião. Dani tentou atirar um vaso no agressor, que atingiu fracamente uma das colunas, pois já sentia duas mãos no pescoço.

– Seu enterro ainda passará sob minha janela – disse-lhe Otávio, abrançando-o num romântico rosto a rosto.

Já de pé, e levando mais a sério as possibilidades do autor de *scripts*, o mordomo passou a disparar pontapés que atingiam as nádegas e as costas do seu alvo. Por um instante, Otávio se viu entre dois focos, os pés do serviçal e os punhos do produtor, e somente o impulso e equilíbrio de forças contrárias que o mantinham sobre as patas. Num salto, escapou dos dois, e quando se julgava que aquilo era o fim e que a paz voltaria afinal, Otávio, vomitando palavrões, começou a bombardear o serviçal e seu amo com copos e cubos de gelo.

Sardini, para não permanecer visivelmente neutro, o que era um risco para seu salário, deu uma volta e abraçou Otávio por trás, numa posição correta para imobilizá-lo. Mas o incansável gladiador, que não devia perder um só enlatado da série Kung Fu, dobrou o corpo e conseguiu remeter o mau-caráter sobre um valioso tapete persa. Novamente livre, o escritor correu para apanhar um vaso, mas pisou e escorregou num cubo de gelo, e como não soubesse andar sobre patins, afocinhou.

– Vamos a ele – bradou Dani no começo da operação.

Dani, o mordomo, o grandão Roberto, Sardini e parece que também o jovem galã caíram sobre Otávio para dominá-lo, porém mesmo desta vez houve dificuldade. O autor, com uma montanha de carne sobre o lombo, continuou reagindo, mas já sem forças, não conseguia chegar à porta. Laura soltou um grito ao ver sangue na boca de Otávio, o que não impediu que o massacre prosseguisse, agora na base do castigo e da vingança, pois o intelectual não tinha mais forças de reação.

Laura quase desmaiou quando viu Dani e o mordomo de Sartre pontapeando aquela coisa caída, inerte, manchada de sangue, que podia até estar morta.

— Parem com isso! — implorou. — Parem com isso!

O novo galã, que estreava no mundo dos espetáculos, foi o que deu o último pontapé.

Dani foi ao bar e tomou um rápido, ladeado por Sardini e Roberto, que com palavras o livravam de qualquer culpa. Tudo fora em defesa própria.

— Ele não quis os vinte? — espantava-se Pontes. — Jamais ganhou mais que isso.

— É um ingrato — disse Roberto.

O mordomo aproximou-se de Dani, depois de ter feito um exame naquilo que estava no chão. Parecia aliviado.

— Acho que não tem nada quebrado — informou. — Posso carregá-lo até a rua e chamar um táxi.

Dani ouviu, pensativo. Não respondeu. Precisava de outro trago, tomou. Olhou para Otávio que se mexia, esfregava o queixo e os olhos. Resistente demais, poderia viver, levantar, caminhar, escrever. Sim, escrever.

— Deixe ele aí — disse o rei, muito consciente. — Quando se levantar, dê-lhe um drinque. Acho que ainda a gente faz negócio.

O adhemarista

*Para
Pedro Bevilacqua*

*A*quela foi a semana mais quente que o Moa (Moacir) viveu na puta da vida. Nós, do ponto, é que sabíamos. Quente, digo, em toda a parte. No táxi, na rua, na sede do partido, na Lila e em casa. O homem estava envenenado, com fé em Deus e pé na tábua, dormindo só umas três horas por noite. Foi também a semana do papo, da lábia, da saliva, dia e noite em campanha, amarrando votos, aliciando os indecisos. Nunca vi na *life* um cabo eleitoral com tanta corda, tanta garra, tanto embalo. No último dia, lá no ponto da Barão, até deu e recebeu sopapos. Partiu para a ignorância quando um diabo de janista provocou ele com aquela surrada anedota da calça nova, manjam ela, não? "Nesta calça nunca entrou dinheiro público!" Temi pelo Moa, achei que a coisa ia engrossar. Com seus cinqüenta e poucos quilogramas, ele não podia fazer muito num corpo-a-corpo, mas fez, como vi com meus olhos. Para leão, ao Moa só faltava a juba.

– Manera, Moa, saia de fino.

O Moa tapou os ouvidos e deu uma de James Cagney pegando o janista na marra. Mas o arruaceiro era parada e revidou na base do pontapé e pescoção. Quando vi o grude formado, saí do meu táxi (tinha um Chevrolet 51, belezoca) e fui separar, no berro e na estiva. Acabei levando as sobras, enquanto o Moa, abotoado por dois colegas, era levado para dentro do bar. Embora com um hematoma na face, o Moa, seguro pelos sovacos, não calou o bico:

– Vou matar esse caspento! Mato ele! Me larguem!

– Desta vez vocês entram pelo cano! – bradava o janista, também contido pela turma do deixa-disso.

– Enfie a vassoura no rabo! Ignorante!

– Ninguém vai passar a mão em mais nada neste país!
– Ele rouba, mas faz!

Começaram então os palavrões, que Deus me livre de colocar aqui. Precisaram mais dois, de tutano, para conter o Moa dentro do bar. O janista, enfurecido, mas imobilizado por uma gravata, ia sendo arrastado pra esquina, e só deu o pirulito quando a justa compareceu.

Aí, tudo sanado, o Moa entrou no De Soto e se mandou pra sede do partido pra pegar mais propaganda. Ia lá, na Duque, quase todas as tardes apanhar material (retratos do candidato, bandeirinhas, flâmulas, dísticos, cédulas), que distribuía aos passageiros, no ponto, no bar, no puteiro da Lila e na vila onde morava. Os retratões, de mais de um metro, costumava guardar no porta-malas para colar nas paredes durante a noite. Gostava de colá-los justamente sobre os retratos do Jânio, pra encher o saco, pra rir às baldas depois. Guerra é guerra e naquela quem não era vivo se estrepava.

– Como é que está nossa força em Vila Carrão, Ipojuca e Freguesia do Ó?

Era na sede que encontrava a choferada dos bairros. Pelo jeito, só na Vila Maria o partido ia mal, sem eleitores. No resto, ganhava o Adhemar ou taco-a-taco. Na capital dava pra fazer bonito. A grande incógnita era o interior, e só pensar nisso o Moa se encagaçava. Quem pode adivinhar o que se passa na cabeça dum matuto de Mococa, Avaré, Ibitinga, Araras, Caçapava, Tupã ou Presidente Altino? O PSP estaria forte nesses cafundós? Uns garantiam que ia ser moleza, outros tinham dúvidas.

– O litoral é nosso – asseverava o Moa. – Vou lá toda a semana e sei disso. O Vale do Paraíba está em peso com a gente. Parece que vamos ganhar em Campinas, Ribeirão Preto, Bauru e Sorocaba. Mas o meu medo é a caipirada, os eleitores de cabresto dos prefeitos, os colonos de pé-no-chão, os marianos, as filhas-de-Maria. Nossa sorte é se essa gente votar no Prestes Maia. Aí divide o bolo e o Adhemar entra fácil.

Moa esquecia do táxi e do leite das crianças. A sede para ele era melhor que o campo do Corínthians. Ficava horas papeando com outros cabos eleitorais e ensinando suas malícias de campanha. É com a cabeça que se ganha uma briga, e ele se orgulhava de saber usar a sua.

— O fogo cerrado tem que ser no lombo dos indecisos. Pra que gastar saliva com os janistas? É com eles que eu converso, eles que trago pro meu lado. Assim que vocês devem trabalhar. Falem no Hospital das Clínicas, em dona Leonor. Nos tuberculosos. Os indecisos é que vão nos levar pros Campos Elíseos.

Respeitado, o Moa ficava na sede até o cair da noite. Depois, voltava pro táxi com o material. Mas não rodava muito. Fazia só umas quatro ou cinco corridas para angariar mais alguns votos. O que queria mesmo era ver a Lila, cuja saudade começava e doía desde as seis da manhã, quando punha o pé fora da cama. Parava o táxi diante duma casa da Vitória, onde a Lila exercia. E desde a porta já ia distribuindo propaganda.

A casa da Magnólia tinha multiplicado a freguesia naqueles dias de eleições. Antes do escurecer, a turma já dava as caras. Acho que nada como eleição pra estimular o sexo das pessoas. A zoeira começa na cuca e vai até lá embaixo. O Moa, que a princípio visitava a Lila só aos sábados, passara a ver ela todas as tardes. Aboletava-se na sala, diante duma cena, a ver na parede a carona do chefão em *big* foto colorida. Magnólia fora buscar aquela no palácio, depois da vitória de 46. Autografada. Por isso que a justa não fechava seu estabelecimento. A dona tinha padrinho.

— Como vai o molho, seu Moa?

— Já ganhamos, Magnólia, e vamos botar o Lino no Senado. Hoje, no táxi, só deu Adhemar. E no carro não levo o retrato dele, banco o indeciso, o que está por fora. Assim os passageiros vão se abrindo e dão o serviço.

— Você é um vivo, Moa.

— E a Lila?

— Vai ter que esperar, está ocupada.

Moa não gostava de saber que a Lila estava com outro. Como todo mundo, andava tesudo. O mistério das urnas, o mistério do sexo. Lila tinha seu eleitorado, fregueses ocasionais ou costumeiros que iam depositar seu voto entre as pernas dela. Na casa de Magnólia era a mais votada, inclusive com eleitores de cabresto, aconselhados por amigos.

— Senta, Moa.

Ele estava de pé, impaciente, perdendo tempo. Enquanto esperava por Lila, os janistas dobravam os indecisos. Viu um sexagenário de chapéu sair do quarto da amásia. Foi entrando.

Lila, sentada na cama, espelhava-se no pichinchê, duas pernas de cem sobre o criado-mudo. O cheiro de violeta que o Moa gostava. O *fillet mignon* sorriu e avisou:

— Hoje não vai dar, Moa. Vem aí um cara de Bauru com muita grana.

— Vim só te ver.

— Então me dá um Continental.

Moa fizera besteira em casar com vinte anos. Agora estava com vinte e oito e quatro filhos. Por isso tinha que viver no táxi, braçal, curtido de suor. Ganhava pro sarampo, pra catapora, pra tosse comprida. A mulher não era mais nada pra ele, perdera a graça. Desde a lua-de-mel que ela não cheirava mais.

— Sabe, Moa, esse freguês que saiu é gerente duma fábrica. Disse que lá, na fábrica dele, o Jânio ganha estourado.

— Ganha a mãe dele!

— Mas ele é dos nossos!

Quando entrava no quarto de Lila, o cabo eleitoral morria. Largou-se na cama dela, cheirando, registrando impressões. Que Deus o perdoasse, mas gostava mais do puteiro que de sua casa, que de sua família. Magnólia era boa, a Lila era linda, e ele era mais importante ali dentro.

Lila curvou-se sobre ele:

— O que é isso aí na fachada?

— Um hematoma.

— Briga?

— Com um janista, lá no ponto. Mas tenha mais pena dele. Precisava ver como ficou.

Lila voltou ao pichinchê:

— Pra você faz diferença quem ganha?

A mesma pergunta que sua mulher fazia. Que adiantava argumentar? O voto dela estava no papo e bastava.

— Faz. Se o Adhemar ganha eu me animo e vou viver com você.

Lila era de amar, não de acreditar.

— E a mulher, os filhos, a casa que está pagando? Você está amarrado, Moa. É um boa-praça, mas tá amarrado.

Bateram na porta, a Magnólia:

— Lila, aquele senhor de Bauru!

Se tivesse duzentos mangos no bolso, Moa fazia o capiau esperar sentado, mas estava sem nenhum e quase não faturara àquele dia, todo eleitoral. Lila só gostava dele nas entrecamas, tinha que espirrar. Saiu de cabeça baixa até a porta, quando estacou.

— Pergunte pra ele quem ganha em Bauru.

Entrou no Sindicato, fervia: Era Adhemar, Adhemar, Adhemar. Encostei nele com um recado:

— Sua mulher telefonou pro ponto.

— Querendo o quê?

— Que volte cedo.

— Ela que tenha paciência.

No salão principal, um motorista, num micro, falava das realizações do candidato, quando governador. A classe estava unida. Se tivesse um janista ali, pregava esparadrapo na boca. Uma voz discordante daria mutreta. Moa entrou frio, achando que seu caso com a Lila se acabava. Mas ao ouvir o oba-oba ao Hospital das Clínicas e à Via Anchieta, sentiu de novo aquela explosão e saltou pra frente a agitar os punhos, comandando o "já ganhou, já ganhou" que valia mais que mil palavrórios.

Ia se repetir a mesma zoeira da noite anterior, no comício de despedida. Moa reunira os mais inflamados diante do palanque pra dar sustentação. A cada palavra que se dizia lá em cima, ele entrava com o coro: viva, muito bem, não apoiado ou então puxava as palmas com aquele apetite. A certa altura, quando Adhemar falava, o Moa, como se fosse uma fã do Caubi Peixoto, fingiu um desmaio de emoção e foi erguido para o palanque. Não era para aparecer na televisão, não. O Moa não era disso. Queria causar impacto, e causou porque seu desmaio foi aplaudido por toda a praça.

Moa não deu bola para o pedido da mulher. Era véspera do grande dia, estava elétrico, com uma mágoa qualquer no fundo. Queria movimento, zorra. E então deu idéia dum passeio de provocação na Vila Maria com as buzinas disparadas. Acordar os janistas, demonstrar poderio, descarregar a raiva. Quando o Moa aprontava, a turma ia na dele. Rumamos para Vila Maria, invadimos ela com os táxis, buzinando, enquanto os pacatos saíam às janelas pra ver o desfile. Moa não ficava só nas buzinadas, ia vomitando palavrões, berrando o que pensava dos janistas.

Terminada a zoeira, fomos a um bar encher a cara de cerveja. Moa, sentado a meu lado, tinha certos grilos.

— Meu medo são os paus-de-arara, os goiabadas-cascão, os flagelados. Esses votam no caspento porque também são caspentos. E porque não são paulistas. Querem um cara de fora no palácio. Os grã-finos ficam com o Prestes Maia. Por isso a gente tem que trabalhar até fecharem a última urna. Vamos levar os caras pra votar. Tem que ser na carona, na marra, no grito, mas tem que ser. Amanhã vamos todos levantar bem cedo, pessoal!

Olhou no relógio: três horas. Ia haver bronca em casa.

E houve.

A mulher do Moa e os meninos estavam de pé porque ela queria que ele visse todos acordados. E não foi pra pôr panos quentes, pra chover no molhado. Quis entendimento. Afinal, pra que estava naquela de cabo eleitoral? Por que não trazia mais dinheiro? Por que madrugava na rua? Por que o hematoma? Tantos porquês deixaram o Moa zonzo. Ela resumiu tudo num só.

— Eles vão te dar emprego?

Moa lembrou que ainda tinha que empapelar o carro com os retratos do Adhemar para arrebanhar indecisos.

— Vamos. Responda isso.

Teria cola suficiente?

— Quero que me responda.

Pior se faltasse tutu pra gasosa. Ia queimar uns dois tanques.

— Se vão me dar emprego? Eles não me prometeram nada. Nem eu pedi.

Contar o resto? Moa me disse que ela começou a chorar sem entender patavina. Então, tudo aquilo por nada? O que ia ganhar com aquela correria, os bate-bocas, as madrugadas, o oba-oba nos comícios, o empapelamento dos muros, as brigas e os cambaus? Quando ela gastou o gás e levou os meninos para a cama, Moa olhou o cuco e resolveu não dormir.

Logo amanheceria. Foi buscar a cola para empapelar o De Soto. Antes despistava, para aliciar. No dia das urnas o jogo era franco. Seis retratões do Adhemar. Quatro nas portas, dois na traseira. O resto do material encontrou no porta-luvas. Esquentou o café na cozinha, tomou uma xícara e voltou para o carro. Ficou lá dentro, encucando coisas e lembrando. Mas não tinha muito que lembrar. Nem sabia direito como estava naquela, ele que nunca entendera bulhufas de política. Ouvia o Adhemar no rádio, vira na televisão. Uma noite, um colega do ponto o arrastou para um comício. Viu e ouviu uns candidatos de saco cheio, bocejando. Até que Adhemar apareceu no palanque, para encerrar. Aí ele se empinou, concentrado. Foi penetrando na massa, acotovelando. Ficou pertinho do palanque, vendo o homem iluminado pelos refletores. No começo, só ouvia. Depois, passou a aplaudir, a participar, a sentir o líder e o povão.

No final do comício já era um adhemarista. Tinha seu De Soto, sua casa. Agora não lhe faltava mais nada.

Às sete da noite, só com um dedal de gasosa no tanque, Moa estava entregue às baratas. Rodara mais de duzentos quilômetros levando gente para as urnas. Mas não trabalhara só no pedal. Enquanto viu fila nos colégios esteve malhando os indecisos, cascateando: a Via Anchieta, o Hospital das Clínicas, os tuberculosos, dona Leonor, tudo que dava votos. E só com um sanduíche no estômago. Às tantas, rumou para a sede, querendo prognósticos, saber das coisas. Subiu, mas viu tudo pá, tudo preto. Não deu outra: desmontou sobre um divã, sem mentalidade.

Voltou cedo pra casa. A mulher, mais mansa, foi lhe tratar o hematoma. Pra cama, porém, não foi. Com aquela tensão toda não dava pra dormir. No dia seguinte, abririam as urnas. Ligou o rádio, atento ao noticiário. As eleições tinham decorrido normalmente. Apenas nalgumas periferias houvera mutreta, mas sem mortos nem feridos. A mulher, sentada a seu lado, querendo arreglo, soltou uma frase de novela: "Amanhã a vida continua". Continua uma pinóia, pensou Moa. Se o Jânio emplacasse, não teria onde meter a cara. Ia ser gozado, escrachado, enxovalhado. Cuspiriam na cara dele. A casa da Magnólia seria fechada e perderia a pista da Lila. E a classe ia comer o pão que o Diabo amassou. Cagariam no Sindicato.

As apurações foram aquilo que todo mundo sabe, se é que lembram. Desde que me conheço por gente, não vi outras iguais. O resultado final foi no final mesmo. Até lá só médium arriscava palpite, só pai-de-santo. Mesmo assim muito babalaô saiu de circulação pra não se queimar. Numa hora, estava ganhando o Adhemar; noutra, o Jânio. Se o Adhemar se distanciava na capital, no interior o Jânio livrava cabeça. Nas estações do rádio deu treta. Nenhuma sabia às quantas andavam as apurações e só complicavam. Os jornais publicavam os números com atraso e o placar da Praça da República parecia ter enlouquecido. Moa passava a maior parte do dia no salão das apurações, indo de junta à junta, com lapiseira em punho, cada vez mais confundido com as parciais. Falava com os cabos, com os apuradores, com os candidatos a deputado. Nenhum bancava o bidu; outros, que antes enrouqueceram no "já ganhou", apostavam até a mãe, faziam boca-de-siri ou desconversavam. Do Adhemar e do Jânio, nada. Repousavam e aguardavam em lugares ignorados.

Moa andava pálido, trêmulo e deu de sentir dores. Quando não estava nas apurações, ficava no bar, biritando. Nem a Lila ia ver, embora sempre batesse um fio pra Magnólia. A dona do estabelecimento não sabia mais que ninguém, só ouvia o rádio. Para a mulher e os meninos, o Moa não dizia nem bom-dia. Cara feia, sisudão, mãos amareladas de nicotina.

Assim foi chegando a hora da verdade, o último dia das apurações. Na capital restavam umas cem urnas. No interior, na maioria das cidades, tudo encerrado. O Lino estava no puleiro. Ele e muitos deputados do partido, que o Moa manjava. Mas para governador, nada. Às nove da matina, depois de tantas noites maldormidas, chegou ao salão das apurações. A primeira notícia que recebeu foi um pé-no-saco: Jânio estava na frente, nas gerais, uns quatro ou cinco mil votos. Viu janistas sorridentes, agitando vassouras. Imaginou um festival de caspas. Pensei que o Moa ia ter um faniquito, por isso fiz ponderações:

— Aqui, agora, só tem urnas do Adhemar, e ainda não apuraram tudo no Vale do Paraíba. Vai haver uma virada.

O Moa só ouviu e foi correr as juntas pela milésima vez. Tirou conclusões próprias. No Jardim América, Pacaembu, Perdizes, Pinheiros, o serviço acabara. Queria dizer: onde o Adhemar era fraco, Jânio não ganharia mais votos. Por outro lado, na Sé, Aclimação, Campos Elíseos e Casa Verde, onde o Adhemar era forte, as urnas ainda estavam falando. A ultrapassagem não tardaria, paciência. Mais tranqüilo, o Moa foi espiar de perto a alegria dos janistas. Como esperava, lá estavam eles, os paus-de-arara, os goiabada-cascão, os flagelados. Quis gozar a turma, cantar a virada. Mas não estava de cabeça fria, preferiu biritar.

Permaneceu nas apurações até a tarde. Depois, baixou a bandeira, foi ver a Lila. Antes, passou pela Praça da República e olhou o placar. Lá, Jânio ainda ganhava, apertado. Perto da Vitória, sentiu mais forte a atração da Lila, quem quase esquecera naqueles dias. Estacionou o De Soto diante da casa. Entrou.

Na sala, Moa parou com uma cena. Lila, gargalhando, sentada sobre as pernas dum homem, ambos tomando champanha em taças. Ela o viu e apontou-o como quem reconhecesse um conhecido que não via há tempo.

— Olhe quem está aí! — exclamou com voz de bêbada. — O adhemarista!

O homem, um grisalho, olhou para ele, gozativo, e riu:

— Quer brindar à vitória, moço?

— Ele é candidato — informou Lila. — Vai ser deputado por Bauru. É do Jânio.

— Dê uma taça pra ele — disse o candidato.

Moa sentiu-se enciumado, traído, por baixo. Brindar ao que com ele?

— Não bebo com janista — murmurou.

Mas isso foi no fim. Antes, já tinha derrubado no chão as taças do cara e de Lila. Magnólia, que chegava, viu e não gostou. Parece que chamou ele de cafajeste. Lila, com o aval dela, berrou um palavrão. Moa fez meia-volta. Putas!

Aquele homem que saiu com fumaça na cabeça do puteiro da Magnólia era o Moa. Não contei tudo, mas a gama que ele tinha pela Lila era preta. O Adhemarzinho já estava batizado quando se conheceram no estabelecimento. Moa não freqüentava a zona desde a despedida de solteiro. Da casa pro ponto, do ponto pra casa. Honestão. No dia em que conheceu o candidato, na sede da Duque, ficou tão dono do mundo, tão dentro da jogada, que quis fazer uma coisa diferente. Sabendo que havia uma Magnólia, a única que mantinha casa aberta no centro, adhemarista roxa como ele, foi lá com alguns amigos. Viu a Lila e não agüentou: deu a ela a metade da diária, duas pernas. Até uma quina daria se fosse o preço. Voltou pra vila com cheiro de violeta nas narinas. Na semana seguinte, bisou a pedida. Mas era moço demais pra ser freguês. Se podia levar gente pro partido, dobrar indecisos, por que não podia levar a Lila no bico? Foi mais assíduo, levou flores, chocolate e um disco do João Dias. Não precisou pagar mais nada, só presentes e carinhos. Na verdade, quando ela estava ocupada, quando tinha programa, cuidava de sua vida. A moça tinha juízo. Mas o que ela lhe dava, quando podia, já era o bastante pra fazer do Moa o rei do ponto, o maior falador do sindicato e o melhor cabo eleitoral inscrito na sede.

No finzinho da tarde, quando o Moa bateu no salão das apurações, estavam abrindo as últimas urnas. Legal. O pessoal da Sé e da Casa Verde tinha comparecido. Mais de cem votos de diferença em cada balaio. Olhou os janistas. Viu um deles com a vassoura entre as pernas, outros com cara de quem comeu e não gostou. Tinham cantado com sabedoria: era a hora da virada. Mas lá não se sabia dos resultados do interior, havia confusão. Um locutor da Bandeirantes dizia que o Jânio ainda encabeçava, mas só com mil votos. Ninharia.

– Vamos para o placar da República – eu disse ao Moa. – Na capital, são favas contadas.

Pegamos nossos táxis e rumamos para a praça, rádio ligado, acompanhando as finais que chegavam daqui e dali. Nalguns cafundós, o Jânio perdia até para o Prestes Maia. A diferença diminuía. Talvez o Adhemar já ganhasse nas gerais. Pisei para não perder o Moa de vista.

Fomos encostando os carangos em fila dupla na República. Acho que tinha cem mil sofredores com os olhos no placar. Nada de festa, torcida calada. Só bêbado palpitava. Olhei o Moa, dava pena a cara dele. Não era mais o cabo confiante, o homem que o Adhemar abraçara, o "já ganhou". Seus lábios não se mexiam, mas devia estar rezando algo por dentro, súplica de ventríloquo. Às tantas, foi para o bar e biritou. Fez mal. Com os nervos em pandarecos, mais a birita, teve cólica e correu para o mictório público da praça. Para não dar vexame, teve que tirar um lírio pirado a pescoção duma das privadas. Ficou lá um tempão, suando, rezando e obrando.

    Quando Moa voltou à praça, estranhou. Se o silêncio antes era de papel, agora era de pedra. Um homem, com viseira, empoleirado na escada, alterava os números do placar. Vi um cara quebrar uma vassoura no joelho: foi a primeira reação. Um bebum deu um pontapé numa árvore. À distância, vi o Moa atirar o chapéu no chão e abraçar os que lhe passavam na frente. Quase toda a choferada fez o mesmo, digo, jogou o boné. Então, antes de cravar os olhos no quadro-negro, já tinha entendido. A virada! Adhemar ultrapassava!

    Moa, doidão, o moleque Moa, me abraçou, confirmando:
– Adhemar! Mil votos na frente!

    Começou a zorra na praça. Gritos, urras, brados. Mas a praça era pequena pra a alegria do Moa. Contido há uma semana, precisava de mais espaço. Correu para o De Soto, fazendo sinal pra gente. Entrei no meu Chevrolet 51, dando carona pra quem quisesse badernar. Moa comandou o desfile na direção da Vieira de Carvalho, já buzinando. Ao atingir o Largo do Arouche, uns trinta carros seguiam o seu, todos táxis. Ia para a Duque, passar diante da sede. Lá estava o predião, iluminado, com as janelas abertas, o portão escancarado, gente acenando. No rádio, a Bandeirantes confirmava os números. Candidatos faziam declarações. Comentavam os resultados das últimas urnas.

    O pessoal estranhou quando o Moa se encaminhou para a Vitória, muito estreitinha. Entendi por quê. Queria ir à forra. Chacoalhar a cara da Lila, perturbar o homem de Bauru, dar uma lição na Magnólia. Com a buzina o Moa se desabafou, e solto, por cima, dirigiu para o sindicato. Lá, uma porrada de táxis se juntou ao desfile, agora não mais a seco. Deram uma garrafa pro Moa, pra mim, para todo mundo. Via o Moa virando o gargalo no De Soto. Devia estar no céu depois de badernar na Vitória.

    Não foi um simples passeio. Moa, na frente, parecia não querer parar mais. São João, Água Branca, Lapa, voltava e pegava a Angélica, depois a Paulista, descendo pela Augusta, sempre com a garrafa e sem tirar a mão da buzina. Em cada avenida ou rua que a gente passava, as janelas se abriam para saudar ou praguejar. Nas esquinas, grupinhos acenavam e gritavam "Adhemar! Adhemar!". A cidade toda estava desperta, sem sono, festejando. Os derrotados tinham desaparecido, evaporado. Só dava adhemaristas.

Antes que a gasosa acabasse, Moa estacionou diante duma churrascaria. Estava com fome, todos estavam com fome de muita carne. Moa foi juntando as mesas, enquanto a turma sentava, pedia churrasco e cerveja. Juntaram umas vinte mesas para choferada toda, que ria, falava ao mesmo tempo, fazia gozação. O Moa ficou numa das cabeceiras como um rei, um papa. Era o dono da noite, da festa, da cidade. Falava com todos, todos falaram com ele. Um mendigo entrou na churrascaria; Moa mandou ele sentar na mesa e lhe deu um puta naco de carne. Levantou para abraçar o dono da churrascaria, que era dos nossos, e foi para o microfone cantar *São Paulo Quatrocentão* e um sucesso da Isaura Garcia. Até que sua voz não era de jogar fora. Mas não voltou para a cabeceira; ficou circulando pela churrascaria, cumprimentando todo o mundo nas mesas, abraçando os que entravam ou saíam, solidário e exagerado. Entrou uma vendedora de flores. Comprou um cravo e pôs no peito, dando a ela a maior nota que alguém já pagou por um cravo.

A essa altura, a churrascaria não tinha mais lugar nem pra pensamento. A classe estava todinha. Apareceu um candidato já eleito pra deputado. O Moa levou ele pro microfone e o obrigou a fazer discurso. Ninguém ouviu nerusca por causa das palmas que ele puxava a cada palavra. Aí o Moa obrigou o dono da casa a dizer algumas palavras também. Falou um cara do sindicato e depois o Moa subiu numa mesa para pronunciar seu primeiro espiche, atendendo a pedidos. Começou imitando a voz e o jeito do Jânio como um comediante de rádio. Puseram-lhe uma vassoura na mão e a coisa ficou ainda mais engraçada.

Isso tudo já era suficiente, mas não pro Moa, ainda cheio de gás. Decidiu voltar à República para novas badernas. Os mais valentes seguiram o seu De Soto, na base do fon-fon. No Arouche, o atazanado atropelou um carrinho de frutas, sem dar a menor trela. Queria ver o placar, gozar os números da virada. Chegando lá, desrespeitando o "É proibido pisar na grama", caminhou até um dos lagos. Imaginei logo que ele ia aprontar e aprontou. Caiu no lago com roupa e tudo, assustando a pataiada. Preferi continuar seco, mas a maioria participou daquela. Puft! Água! Puft! Água! Tinha guardas por lá, que desguiaram pra não dar manchete.

Já molenga, pedindo berço, me afastei dos fuzarqueiros e fui espiar o quadro-negro. O povão continuava ali e o troca-números estava em seu posto com a viseira. Havia um alarido, uma zueira, uma paranóia. Vi uns mil caras agitando vassouras e um caminhão da TV. Gente passava correndo e me empurrava. Alguém disse: "Agora queria ver a cara dele!" Olhei para o placar, com tanta luz, que não dava pra ver nada. Tive que recuar, me misturar com o vulgo para distinguir os números. Mas o que era aquilo? Santo Deus, o que era aquilo? O que estava ali é que o Jânio passara de novo. Dezesseis mil votos. Não podia ser. Comecei a perguntar pra todos, pois a vista da gente às vezes falha. Uns confirmavam cheios de vento. Era aquilo ali mesmo. Dezesseis mil. Houve virada e revirada. As últimas finais do interior tinham trazido a surpresa.

Corri para o lago, justamente quando o Moa e os colegas saíam das águas, ele trazendo um marreco. Saltei na frente deles para dizer a coisa de chofre, que era mais fácil.

— O Jânio passou outra vez.

Moa ficou me olhando sem acreditar, como os outros.

— Brincadeira tem hora.

— Vão ver no placar! Dezesseis mil na frente.

Molhado como um pinto, os cabelos grudados na cabeça, o Moa foi para o placar, acotovelando. Vi a cara dele, iluminada pelos refletores. Emputecido, mas descrente, não se controlou e foi falar com o troca-números, que esfregava as mãos para livrar-se do giz.

— Você se enganou aí. Está tudo errado!

— Foram os números que recebi.

— Quantas urnas estão faltando?

O viseira não deu muita trela:

— Acabou tudo.

— Como acabou?

— É, acabou.

Moa permaneceu diante do placar, enquanto começava o carnaval janista. Nunca vimos tantas vassouras juntas. A propaganda do

Adhemar era arrancada das árvores, dos postes. Rasgada, feita em pedaços. Algumas mulheres puxavam um cordão, todos se dando as mãos. Agora eram os candidatos do Jânio que faziam declarações diante das câmeras de TV. O homem da viseira descia as escadas, missão cumprida. Quis dizer ao Moa que a próxima a gente ganhava, mas não me animei. O que adianta falar com um cadáver? Estava parado, sem um gesto, nem para o placar olhando. Não vi mais os colegas naquela multidão. Derrotado é como homem invisível, se manca e dá o sumiço. Cheguei ao Moa e disse:

— Vou pegar o caminho da roça. Chofer aqui é quinta-coluna.

Fui chegando ao Chevrolet, como quem esteve só para espiar, apolítico, mas com medo que o Moa aprontasse e se estrepasse. Só fiquei mais tranqüilo ao ver o colega entrar no De Soto, ainda todo ensopado, sob a chuva de papéis picados que vinha dos edifícios, alheio ao carnaval.

Não sabia que o Moa não ia ainda para a casa. Manobrou com dificuldade, entre os carros, com suas buzinas loucas, e rumou para a sede, querendo ver e conversar com amigos. Podia ter havido roubo. Quem sabe o Partido protestasse, apelasse, impugnasse. Tinha que dormir com algumas esperanças. Viu a sede de longe, o portão escancarado e os janelões abertos e iluminados.

Estacionou o De Soto e entrou, acreditando encontrar lá o próprio Adhemar, a única pessoa capaz de consolar o Moa. Não havia ninguém no portão, subiu as escadas de mármore, de três em três degraus. A porta do salão aberta, foi pisando. Onde estava o pessoal, os cabos, os candidatos, os fiscais-de-mesa? Deviam estar em reunião na secretaria. Não esperou, foi penetrando. A porta só encostada, luz acesa. Mas ninguém. Imaginou uma reunião secreta na diretoria. Ele não era da cúpula e a porta fechada. Pigarreou, tossiu e depois ousou três pancadinhas. Nada. Mais três. Também. Girou a maçaneta, entrou. Vazia, umas pastas no chão, o cinzeiro cheio de bias de charutos. Seguiu para a cozinha, onde sempre ia tomar o cafezinho para os íntimos. Nem mosca. Até na privada a luz acesa e ninguém.

Voltou para o salão. Aí tinha gente, agora. O faxineiro, que ia fechando as janelas e apagando as luzes. Chegou perto dele:

— Não tem ninguém aqui?

O faxineiro respondeu que não e continuou o serviço, murmurando qualquer coisa sobre o trabalho que teria no dia seguinte com aquela papelada. Ao mesmo tempo, dava graças a Deus por tudo ter acabado. Político era mais sujo que favelado. Fechou a última janela, e ao voltar-se admirou-se de ver o Moa ainda ali.

– Mas não vem ninguém?

O faxineiro sacudiu os ombros.

– Acho que não. O dr. Adhemar perdeu.

Apagou a última lâmpada.

Moa foi descendo as escadas, espirrou. Era aquela roupa encharcada. Passou a mão no hematoma, que doía. Uns carros passaram velozes, buzinando, os passageiros a gritar "Jânio! Jânio!". Soltavam rojões dum edifício. Um bebum atravessou a rua levando uma vassoura. Entrou no De Soto, no bagaço. Olhou o velho casarão com as janelas cerradas, apagado, e o enorme retrato do candidato na fachada. Machão, o Moa era às pampas. Mas naquela hora não dava. Encostou a cabeça na direção e chorou, chorou até esvaziar os olhos.

Primeira epístola aos difamadores

*Para
Paulo Bento Nogueira*

*T*alvez, única.

O certo é que esta é a versão correta de um fato, caluniosamente deturpado, que levou ao exílio o autor destas páginas, respeitável conferencista e monógrafo. Observem até a que ponto a onda de erotismo vigente pode prejudicar a carreira, a honrabilidade e a vida de um homem que diríamos acima de qualquer suspeita. Seria esta epístola o lançamento duma campanha regeneradora de costumes? Deus queira que sim.

Começo já por insistir na definição dum estado emocional. Sou meticuloso, positivo, sempre querendo esclarecer as coisas, sempre preto no branco. Seguro dessas qualidades, garanto que não foi pavor, de forma alguma, o que senti ante o revólver de Barcelos. Foi um susto, nada mais. O pavor é lento, fotograma por fotograma, é um medo curtido, líquido, desce quente ao estômago em ondas sucessivas onde permanece até que o motivo desapareça. É um tipo de tensão que sobrevém de preferência à noite, quando há mais vagares para o medo e suas extensões. Pode ser crônico ou transitório, e segundo o alemão Eric Braun Müller assevera em seu calhamaço *O Pavor e suas Latitudes,* o mal às vezes vem de alguma tia solteirona, religiosa, pois o pavor, repetido e sem causa, sempre tem a ver com repressão sexual. E qual é a diferença entre pavor e terror? Com essa pergunta, pretensamente de algibeira, um estudante imberbe tentou embaraçar-me na última conferência que fiz sobre o tema na Universidade de Brasília. Torno a explicar. Terror é a forma literária do pavor. O T tem mais força que o P, vibra mais, graças às suas hastes ou traves, espeta, penetra fundo, principalmente nas costas ou na região lombar. Por outro lado, a palavra inteira, terror, não tem uma, para abrandá-la, e embora também dissílaba, parece maior, mais preta, e rola sobre os dois erres que funcionam como rodas de carroça em noites de tempestade. O pavor é mais doméstico, podendo ser sentido ou sofrido em casas comuns, geminadas, pequenos apartamentos, quitinetes, não exigindo, como o terror, muita área construída e mesmo um castelo. Outra curiosa observação, assinalada por Eric Braun Müller, diz que o pavor pode ser registrado nos irracionais, como cachorro, gato e cavalo, mas nenhum animal inferior jamais ficou aterrorizado por falta de cultura ou intensidade psicológica.

É evidente que existem outros graus ou estágios do medo, que é o nome genérico disso que falamos. O medo, como particularização, como derivado, só é exemplificável nas crianças. Em seu estado puro era também próprio dos primatas e foi o pai de todas as crendices. O pânico, uma de suas graduações, é um impacto coletivo, grupal, geralmente provocado por ameaças concretas ou sua possibilidade. Dano moral não causa pânico, tanto que ele não é exclusivo dos homens, já que não exige mentalização. Está ligado ao amor à pele, ao desejo de sobreviver. A expressão dinossauros em pânico é correta. Quando grotesco, o pânico causa o pandemônio, confusão muitas vezes provocada pelo fogo em cabarés de segunda categoria.

Qual é a forma mais corriqueira e portátil do medo? É o susto, contração muscular tão inofensiva que autores teatrais e roteiristas de cinema apelam a ele para fazer rir as platéias. Susto é mais surpresa que outra coisa, anotem. Uma brasa de cigarro nas calças assusta. Um cheque sem fundos, uma barata, um pneu que estoura, um encontro indesejável. Mesmo uma arma para nós apontada pode simplesmente assustar. Quando, naquela noite, o Barcelos surgiu diante de mim com sua Bereta, não me apavorei. Se se tratasse dum estranho, quem sabe teria me apavorado, mas, como Barcelos era meu velho amigo, o que existiu foi o choque, a interrogação e as contrações musculares que caracterizam o susto. Só fugi porque Barcelos demonstrou acentuada intenção de disparar a arma, o que prova que era caso de mero susto, porquanto os apavorados nunca fogem. O pavor é reumático, fixa as pessoas ao solo, à cadeira, ao leito. Eu corri como um fundista, desinibido, ganhando o meio da rua, estirando as pernas, cabeça para trás, controlando a respiração, sem perder o embalo nos primeiros duzentos metros. Foi, disse, susto.

Tudo isso posto e retificado, já posso abordar o fato, esperando que meus amigos, para os quais escrevo, cientes dos meus conhecimentos sobre a sutil matéria, aceitem como válido e honesto tudo ou quase tudo que relatarei em seguida.

Quem me conhece, conhece o Barcelos, e quem conhece o Barcelos me conhece. Não somos xifópagos nem o conheci da maternidade, mas solidificamos uma amizade desde o Tiro de Guerra, que fomos desenvolvendo e aperfeiçoando através dos anos. Faltava-nos algumas afinidades; o Barcelos é advogado e eu um estudioso de temas raros, articulista e conferencista de teses curiosas ou improváveis, tempo que uma herança bem-vinda me permite gastar e mesmo esbanjar a meu bel-prazer. Nunca precisei pegar no pesado, como o bom do Barcelos, porém jamais lhe neguei meu estímulo e meus sinceros parabéns quando lograva algum sucesso. Por outro lado, como não fui um escravo do trabalho, pude crescer como uma criatura aberta, otimista e sem aqueles ressentimentos que levam o homem a trilhar perigosos caminhos políticos.

Assim, unidos, camaradas, fui o primeiro confidente e conselheiro do Barcelos quando ele conheceu a Carmélia por quem de imediato se apaixonou. E já que essa pobre moça, vítima da calúnia, é o eixo disso que podemos chamar de epístola, aproveito o ensejo para confessar que foi o signatário desta quem financiou o casamento dos dois, pois então o meu amigo ainda não conquistara seu cobiçado canudo. Ele demorou a saldar a dívida, embora a gratidão tenha sido instantânea, belo sentimento do qual compartilhou sua jovem mulher, que logo também se tornou minha amiga. Passei a freqüentar o apartamento do casal, limitando meus lazeres de solteiro apenas para saber como eles iam e do que precisavam no início de sua aventura matrimonial. Virei uma espécie de protetor do Barcelos e da Carmélia, levando-os a passeio no meu carrão, a restaurantes sofisticados, bares e boates da moda, preocupado com que não se sentissem sós ou enfastiados com o casório.

Não creio que foi nessa ocasião, tão inicial, que dedos ágeis tenham feito o primeiro nó ou laço do que folhetinescamente chamaria de rede de intrigas. Somente a extrema maldade, apesar do seu caráter progressivo, poderia macular então aquele relacionamento paternalista que tanto comovia o casal. Mas eu não queria criar nos dois, e muito menos no Barcelos, nenhuma dependência viciosa que frustrasse o bom profissional que ele se revelaria mais tarde. Evitei tutelar a dupla para que aprendesse a vencer, sem amparo, as dificuldades que costumam surpreender os despreparados casais jovens. Depois de algum tempo, mesmo em meio a um vendaval que varreu as economias de Barcelos, como teste ou estímulo, dei o sumiço, indo cuidar de meus interesses. Quando tornei a procurar Barcelos e Carmélia, ciente do que passavam, com um cheque-ouro na mão, fui recebido entre lágrimas, abraçado por um, beijado por outro. Se antes era o amigo, passei a ser o salvador, aquele cujos gestos o dinheiro não paga e sim outros favores de igual monta. Daí por diante, digo, desse teste, já não nos separamos, fazendo dos encontros diários um hábito que não se tentou corrigir.

Foi nessa fase de regresso, a do cheque-ouro e das lágrimas de gratidão, que descobri não ser amigo da mulher de Barcelos por mera conseqüência. Fiz à Carmélia a justiça de vê-la como individualidade, como ser humano de luz própria, pessoa inteiriça, eleitora, de contornos recortados. Era uma moça que sentia necessidade de existir, não como simples reflexo, sombra ou satélite do marido, o que não conseguia devido às suas inibições de suburbana e à falta dum diploma ginasial. Para provar meu afeto e compreensão, sempre me dirigia a ela quando conversávamos a três, exigindo sua opinião, fosse qual fosse o assunto, e ouvindo-a com a maior paciência quando se dispunha a falar. E, para que ganhasse autoconfiança, ensinei-lhe que um bom trago de qualquer bebida sempre ajuda nas circunstâncias de convívio, quando a abstinência geralmente é confundida com despreparo social.

O Barcelos, apaixonado pela mulher mas sem qualidades de mestre, não com palavras, mas com atitudes, aprovava e agradecia toda a atenção que eu dedicava à Carmélia. Se ela vestisse uma roupa nova, eu não deixava de notar, com elogios ou reparos; diante do cardápio dum restaurante, eu traduzia do francês a literatura culinária; se íamos a um teatro, eu contava quem era o autor e o que se dizia de sua obra; se a política era o tema, eu lhe fazia esclarecimentos à altura de pessoas menos dotadas. Graças à minha participação na vida do casal, aproximei os dois ainda mais, terraplanando diferenças e divergências, ajustando desajustes, mas sem induzir a minha amiga a se tornar subordinada e dependente, sem vontade e caprichos próprios.

Fiz mais pelo casal: numas férias que tiramos na praia, ensinei o Barcelos a nadar, e com muito afinco e alguns tragos, forcei Carmélia a perder o medo das ondas, levando-a inclusive a profundezas a que o marido não se aventurava. Depois, nos restaurantes de beira-mar, lecionava o que havia de bom em matéria de frutos marítimos, vinhos, sobremesas e licores, pagando, eu mesmo, com a moeda corrente no país, as aulas que ministrava. À noite, se íamos às boates, empurrava o Barcelos para a pista de dança, ele muitas vezes sonolento, para que a aplicada Carmélia lhe repetisse o que antes eu lhe ensinara do *hully gully* e do *twist*. E fui eu quem levou o Barcelos e a Carmélia para o primeiro passeio de helicóptero, sobre praias e enseadas, numa manhã absurdamente azul, em que nos consagramos companheiros de terra, mar e ar.

Foi esse tipo de amizade, completo, raro nos dias de hoje, que veio sofrer a crítica, a desconfiança e a malícia de alguns, pondo tudo a perder. Na verdade, e juro sobre a Bíblia, jamais olhei a Carmélia como outra pessoa que não fosse a mulher do Barcelos. Não que ela fosse desprezível, faço questão de dizer. Seu corpo superava suas virtudes espirituais e na opinião de alguns era mesmo algo de espetacular. Concordo no tocante aos seios e às curvas geométricas das nádegas, mas o todo era para mim objeto de respeito ou de serena observação. Quanto ao rosto, não era para vencer concurso, porém valia pelos seus enormes olhos negros contrastando com o vermelho excessivo dos lábios. Traços definidos, essenciais, sobre a pele quase jambo, último vestígio da raça de seus ancestrais. Assim era, ou mais ou menos assim, a Carmélia por fora, essa que atraía a vespa da intriga, no dizer de uma velha canção. A Carmélia interior, carente de amparo, preocupada com o ajuste matrimonial, a pessoa, essa não parecia digna de registro à sensualidade oral dos que investiram contra mim.

Nem sei qual o sexo de quem começou tudo aquilo. Mas o começo foi quando o Barcelos teve que passar uma semana no nordeste a serviço. Nessa ocasião, ele já tinha o canudo, mas ainda vazio de ofertas de trabalho. Não devia perder a oportunidade que surgia, como o aconselhei, e embarcou. Eu, como amigo correto, não deixaria de ver a Carmélia naqueles dias de primeira separação. Não podia, porém, por questões morais, ir visitá-la em seu apartamento ou pedir que fosse ao meu. Tínhamos que nos encontrar em algum lugar não exposto, como uma praça ou esquina, justamente para prevenir mexericos. Daí ter eu pensado num *drive in*, em Santo Amaro, o Las Vegas, pouquíssimo freqüentado nos dias úteis, onde eu costumava ir com minha secretária para escapar à poluição sonora do centro da cidade. Carmélia compreendeu o convite, mesmo porque o apressado Barcelos não lhe deixara dinheiro suficiente para as despesas da semana. Fomos ao Las Vegas numa quarta-feira chuvosa em que apenas um velho Gordini nos fazia companhia no imenso espaço enlamaçado do *drive in*. Curiosamente, a mulher do meu amigo declarou nunca ter estado antes num lugar como aquele, o que a deixou um tanto apreensiva nos primeiros momentos. Achei natural, devido à má fama desses estabelecimentos, mas, para comprovar minhas boas intenções, abri a carteira, passando-lhe logo a importância que ela necessitava, advertindo, generosamente: "Não diga nada ao Barcelos, um dia vocês me pagarão tudo, tenho certeza".

Carmélia aceitou o dinheiro e o segredo que propus e daí a aceitar mais um drinque foi um passo, cedendo à minha insistência por causa do úmido frio paulistano. Naquela tarde, abrindo seu descompassado coração, ela confessou certas queixas que tinha do Barcelos, excessivamente preocupado com o trabalho, a ponto de esquecer de lhe dar a merecida atenção e mesmo de cumprir suas obrigações maritais. Apesar do tom íntimo e lamurioso da confissão, parti em defesa do Barcelos, como não podia deixar de ser, ponderando que para ele o futuro do casal estava em primeiro plano. Ao mesmo tempo que lhe aconselhava não desviar o marido de sua carreira, propunha-me como seu confidente afetivo, sugerindo que podíamos nos encontrar outras vezes no *drive in*, para que eu, com minha experiência de vida e dos livros, orientasse o seu casamento. Ao levar Carmélia de volta para casa, já ao anoitecer, no conforto do meu carro, tendo ela tomado uns três drinques, repousou a cabeça no meu ombro, agradecendo o passeio que lhe fizera esquecer a ausência do marido, a quem muito amava, apesar dos seus descuidos.

Infelizmente para Carmélia, e por que não para mim, a viagem do Barcelos teve que se prolongar por muito mais dias. Eu, que estava com malas prontas para minha visita anual a Buenos Aires, tive que desfazê-las para que a inesperada solidão não a sacrificasse demais. Voltei a levá-la ao *drive in* noutra tarde chuvosa, tendo como companhia o mesmo Gordini da primeira vez, que nos espreitava com seus faróis voltados para o meu carro. Desta vez, Carmélia mostrava-se infelicíssima com a demora do Barcelos, receando mesmo que ele estivesse vivendo algum romance passageiro no nordeste. Ponderando como sempre, fiz-lhe ver que ainda nesse caso ela devia entender, sem alimentar rancores. Segurei sua mão durante longo tempo na esperança de acalmá-la, beijei-lhe o rosto várias vezes, como qualquer amigo faria, e procurei uma música romântica no dial para que ela se distraísse. O resultado foi bom, tanto que, mais animada, retornamos quase todas as tardes daquela semana ao Las Vegas, o que me custava o sacrifício de abandonar afazeres e adiar a pretendida viagem. Não me lamentava, porém, convicto de que estava agindo em benefício duma pessoa que merecia toda a minha atenção.

Numa tarde em que o telefone de Carmélia parecia estar com defeito, o que me irritou bastante, pois ela podia estar esperando um chamado do marido, fui até lá para ver o que se passava. Encontrei-a bastante resfriada, talvez por causa dos ares molhados do Las Vegas. Constatei logo que estava com febre. Para que não se cansasse inutilmente me fazendo sala, e por me considerar uma pessoa de casa, da família, achei melhor que conversássemos em seu quarto, onde estaria mais aconchegada e à vontade. Prevenido como sempre fui, virtude que devo aos meus saudosos pais, trouxera no bolso interno do paletó um vasilhame de forma achatada contendo umas doses de bom uísque, remédio às vezes infalível para o resfriado quando tomado puro. O efeito dessa terapêutica Carmélia sentiu imediatamente, começando a suar por todos os poros, enquanto seu corpo caía em total e benfazejo abandono. Felizmente estava alguém lá para ajudá-la a livrar-se de suas vestes umedecidas, o que poderia causar-lhe uma pneumonia como temia. A princípio, certamente, pressionada por pudores normais, Carmélia resistiu aos meus socorros, mas acabou entendendo que assim agia para o seu bem.

Ao sair do apartamento de Carmélia, naquela madrugada, ela já não apresentava sintomas do resfriado, quase restabelecida, tanto que não precisei voltar mais lá até que Barcelos regressasse de sua viagem. Aliás, no mesmo dia, apenas pelo telefone lhe dei as boas-vindas, pois pude afinal seguir para Buenos Aires, aliviar-me da tensão que me causara a fastidiosa redação de uma conferência.

Quando tornei a pisar em São Paulo, uma semana após, já ouvi os primeiros murmúrios de pessoas que, pelos mais variados motivos ou por nenhum, pretendiam me afastar do Barcelos e de sua mulher. Não dei ouvido no início, porém notei que eles tomavam vulto, principalmente no Clube dos Artistas, na União Nacional dos Escritores e na redação de alguns jornais. Ao topar com o Barcelos num bar que costumávamos freqüentar, notei algo estranho nele, um rancor impresso nos olhos de quem já esquecera todos os favores que eu lhe prestara. Quando lhe perguntei de Carmélia, nada respondeu, saindo do bar.

Talvez tudo tivesse acabado aí, no simples rompimento duma bela amizade, se o humor maldoso de alguns não inventasse e fizesse circular pilhérias que ridicularizassem o respeitável casal. Não vou repetir aqui nenhuma dessas anedotas maldosas, ferido como ainda estou pelas pontas desse hipotético triângulo. O fato é que o Barcelos, antes tão sereno, acabou perdendo a cabeça. Armou-se e foi à minha procura, disposto a exterminar a vida de quem fora um verdadeiro pai para ele. Creio que outros fatores influíram no seu desequilíbrio, entre eles o mau sucesso de seus negócios no nordeste, a morte dum parente que ele estimava, o alto teor de poluição ambiental naquele dia, já comprovadamente responsável por muitos desatinos, o engarrafamento do trânsito que induz as pessoas à criminalidade e aos aludidos chistes, piadas grosseiras, muitas das quais suponho veiculadas por ativistas do PC ortodoxo. Todo esse pacote de causas várias colocou na mão do pacífico Barcelos a Bereta que, se não me matou, esfacelou nosso sadio e invejável convívio.

Como disse no início, após o susto, e preferindo não ver o Barcelos preso e condenado, pus-me a correr pelo meio da rua.

Diante do primeiro telefone público, liguei para Carmélia para que ela com a verdade desarmasse seu tresloucado marido. Do outro lado da linha, ouvia-a dizer, entre soluços: "sou culpada, sou culpada". Entendi, nesse ponto, que a calúnia pode levar a auto-sugestão, daí ela, na sua fragilidade, declarar-se culpada, mesmo sem ter, em nenhum momento, rompido comigo as barreiras da normalidade.

Perdoei ao Barcelos pelo seu gesto alucinado e à Carmélia pela sua confissão, embora sob pressão, forçada, mas não consegui perdoar à maledicência das pessoas, particularmente daquelas que estariam no interior daquele Gordini, no *drive in*, com certeza invejando a marca e procedência de meu carro. O desfavorecimento social é calunioso, quando não carnívoro, e fui dele uma vítima inocente. Os que apontaram certa alienação nos meus artigos e conferências foram os mesmos que me acusaram de trair o lamentável Barcelos. A interligação das coisas. Velhos inimigos que retiraram seu ódio da geladeira para consumi-lo nas ruas, nos bares, nas reuniões sociais, nos clubes. Toda essa gente, sem falar dos detratores gratuitos, reuniu-se para infernizar minha vida, condenando-me ao desterro. Sim, ao desterro.

Não estou escrevendo esta epístola de minha cidade natal, escrevo-a, agora esclareço, do lugar para onde me exilei até que passem ou cessem os maus ventos. Mas o meu novo endereço não escondo covardemente. A quem interessar detalhes desse doloroso acontecimento posso fornecer, com toda boa vontade, caso me procurem. Estou hospedado no hotel Las Brizas em Mexico City, numa bela suíte, com piscina particular, e todo conforto para atender mesmo às pessoas que me intrigaram com o Barcelos e a provinciana sociedade paulistana. Na era do jato não há distância, e aqui estou, portanto, à disposição e alcance dos interessados, inclusive do próprio Barcelos e de sua amantíssima Carmélia, se desejarem um dia restaurar a amizade que nos uniu de forma tão gratificante. Trouxe comigo minha secretária, moça de fino trato, sociável, evoluída, ex-Miss Hinterland, que poderá cicereoneá-los pelos caminhos desta fascinante e colorida metrópole.

Soy loco por ti, América!

*Com música de
Gilberto Gil,
interpretada por
Caetano Veloso*

*E*sta estória tanto poderia começar na piscina térmica em forma de coração quanto no lugar mais aprazível da mansão, que o De Lourenço orgulhosamente chamava de pérgula, ou ainda partir do enfático Azulão, o grande *living,* com aquela agressiva pintura imperial, onde costumava reunir os convidados para suas comentadíssimas festas de arromba. Em qualquer ponto que se estivesse, na noite em questão, aconteciam fatos memoráveis, mesmo nos menos festivos, como o sóbrio escritório com suas vistosas taças e troféus, na maioria ganhos em equitação e esportes náuticos, o diminuto jardim de inverno, apelidado "o retiro dos tímidos", e os quartos das empregadas, principalmente estes, cujas paredes viram cenas afrontosas nem sempre registradas pela trêfega Super-8 do dono da casa.

A estória, como todas as boas narrativas, poderia também dispensar a ordem cronológica dos acontecimentos, mesmo porque no dia seguinte ninguém teve cabeça para precisar horas e seqüências. A entrada biônica da extravagante Mara Rios no capô do Mercedinho, virando na cobiçada boca uma garrafa de Vat, talvez fosse bom início do ponto de vista cinematográfico: o portão escancarado, serpentinas, os gritos histéricos e os que morriam por beijá-la. Um autor mais engajado – estávamos a 31 de março de 1964 – preferiria puxar o fio da meada no momento em que o teatrólogo Pedro Márcio, num dos seus lances mais vexaminosos e menos imaginativos, após uma batalha verbal, foi empurrando o redator de *A Voz do Povo* até a piscina e puft. Assisti ao *travelling* inúmeras vezes porque De Lourenço estava lá com sua Super-8 disposto a deixar sua obra para a posteridade. Outro bom início, bastante felinesco, bem do agrado elitista, seria a cena, do alto duma grua, em que o Enrustido com um lança-perfume que Max Bisnaga lhe dera, substituiu definitivamente o oxigênio pelo éter, e dizendo-se em lágrimas a pessoa mais infeliz do mundo, subiu no muro coberto de hera, não se soube como, e pôs-se a andar sobre ele, em toda a sua extensão, animado por razoável torcida, enquanto seu antigo par, o Assumido, implorava-lhe que descesse e dali por diante encarnasse sua verdadeira personalidade psicobiológica. Citei dois, poderia ter citado outras seqüências ou *takes*, em desalinho, bons para começar.

Houve nesse inesquecível *party*, festa, reunião ou seja lá como se chame aquilo, não apenas uma euforia desbragada e insensata, um festival de álcool e éter, como também uma série de conflitos orais e musculares, oriundos de choques e entrechoques de idéias ou conseqüentes de antigas ou instantâneas antipatias. Ah, sem falar dos acidentes de trânsito, coisas como cotoveladas, pisões, empurrões e bebida derramada na roupa, miudezas desse naipe que, conforme o consumo etílico, podem acirrar os ânimos.

A bem da verdade, o ciúme, o estopim, a chispa mais freqüente nas confraternizações latino-americanas não causou muitos incêndios àquela noite. O mais sério, parece-me, registrou-se quando um jovem não identificado, provavelmente penetra, deu um chupão no pescoço da maneca Denise, acompanhada por um espadaúdo admirador, também não identificado, o que resultou num entrevero com fraturas nas costelas, segundo o parecer dum radiologista presente, embora desacreditado na ocasião, porque oscilava como um veleiro, tantas doses já consumira.

Quando cruzei o portão, depois das onze, com um amigo que logo perdi de vista, só reencontrando-o às quatro sob a cama da cozinheira, a festa ainda praticamente não começara. A pessoa mais importante já presente era Max Bisnaga. O conhecido empresário chegara com uma caixa de papelão abaulado, e após breve conversa com De Lourenço foi escondê-la numa gaveta da escrivaninha. Mas não vou preservar esse segredo para o fim, como nos folhetins da TV. Já sabia e vou dizer o que a caixa continha: lança-perfume. Durante anos, em todos os carnavais, Max comprava muitas caixas de Rodo Metálico, abastecendo-se de fevereiro a fevereiro com aquilo que em sua opinião, não na dos outros, era seu único vício ou defeito. Quando foi inadvertidamente proibida a fabricação desse néctar momístico, o rotundo empresário pegou sua camioneta, e mais previdente que qualquer formiga, percorreu os estandes carnavalescos da cidade e comprou todo o Rodo Metálico que coube na Rural. Esse tesouro líquido-gasoso, um suprimento para toda a vida, o que jamais alguém fez com qualquer produto, tornou Max o convidado nº 1, o cabeça-de-lista de qualquer festa nas quais o senso de realidade não era requisito preferencial. Então, Max o irreal, Max o Bisnaga, Max o psicodélico. Por outro lado, convenhamos, era uma forma até comovente dum estrangeiro como Logan, mesmo contrariando normas policiais, prestigiar uma das mais antigas tradições populares do país.

Vi o De Lourenço receber Max Bisnaga com um abraço impossível nas simples amizades. Era o salvador que chegava com sua caixa de magias, uma garantia de êxito, pois entendia o dono da casa que o álcool dá bons resultados na decolagem, é mesmo capaz de erguer um cidadão a alguns palmos do solo, mas apenas o éter tem propriedades para mantê-lo nas alturas, acima das agruras terrestres, do Bem e do Mal, dando-lhe um belo par de asas.

— *Trip to the moon!* — repetia o De Lourenço, abraçando com dramática insistência o Max com sua caixa e sem pudor de beijar publicamente suas bochechas.

A essa altura, a equipezinha de garçons, vestindo um branco-hospitalar, já servia as primeiras rodadas de beberetes, pois, como é notório, a maior vaidade do De Lourenço era ser democraticamente *barman*, conhecedor das mais raras e sofisticadas receitas de coquetéis, habilidade elegante que já exibira em programas de televisão, desses que revelam a outra face, mais íntima, do artista, do político, do homem de negócios. No meio em que pontificava, a maior graça que alguém podia obter, equivalente a deixar a marca das mãos e dos pés nas calçadas do Chinese Theater, era ver o nome batizando um dos *coks* do De Lourenço. Certamente, no reduzido lote de favoritos, havia um coquetel Max Logan, com muita vodca, amaro e gim, um daiquiri Mara Rios, com açúcar nas bordas do copo, pedaços de laranja e abacaxi embebidos em bíter, a sedução do doce-amargo, e um aperitivo Domingos Grinaldi, que o agudíssimo senso crítico deste, por tantos temido, inesperadamente aprovara. Dizia-se, e eu acredito e propago, que uma das ambições e devaneios de Pedro Márcio, em sua gloriosa escalada, era ter também um coquetel com seu nome, mas De Lourenço, embora pressionado, travara sua criatividade, talvez com receio do efêmero, já que pretendia eternizar na sociedade suas bem sacadas invenções.

Bebendo um coquetel Max Logan, o que poderia ser uma forma bastante visual de puxar o saco do empresário, já que eu tinha um *show* na gaveta, atravessei todo o Azulão, com passos de estreante, ganhei o jardim e fui postar-me à margem da piscina, já iluminada e volteada de pequenas mesas com ornamentos florais. Embora a mansão estivesse quase vazia, e os poucos que lá estavam pareciam não se conhecer, havia qualquer coisa no ar, uma liberação maior de elétrons, uma chuva invisível de partículas vulcânicas, insensível mesmo aos calvos, que prenunciava uma noite densa e rica de sensações diversas. Cumprimentei com meio aceno algumas pessoas que passavam por mim, testando a receptividade geral, mas fingiram não me notar naquela frieza inicial das festas. Outro, menos informado, e com algum programa, se retiraria naquele momento. Não o fiz, é evidente, saboreando o coquetel e perseguindo na superfície da piscina o reflexo duma abusiva lua cheia.

Depois de Max Logan, com sua carga alada, chegaram, livrando-me de minha ilha, o Enrustido e o Assumido, antigos amigos do De Lourenço, que não perdiam, a não ser por doença grave ou morte em família, eventos como aquele. Principalmente o Assumido, com seus trejeitos de gatinho, tinha o dom natural de aproximar pessoas, quebrar o gelo e dar partida às festanças. A verdade é que, observei, mesmo os que não se transavam foram se enturmando e fazendo sinais aos garçons ainda solícitos na arrancada da maratona. Vi O Pra Lua, a maneca Denise, o costureiro Alfion e em seguida o De Lourenço surgir pela primeira vez com a Super-8, puxando ora o Enrustido, ora o Assumido, em *zooms* sucessivos, com um capricho técnico que na terceira dose de uísque abandonaria. O que não imaginava ainda é que sua câmera às vezes indiscreta lhe criaria problemas, da perda de algumas amizades ao frustrado suicídio de Leila Maria, ainda hoje hospitalizada, e com aquela mancha conjugal que o De Lourenço filmou.

Após a meia-noite, terminadas as sessões teatrais e as reuniões de obrigatoriedade social, a mansão do famoso e boêmio industrial começou a receber os convidados. Eu só conhecia os atores, diretores e produtores, as pessoas do mundo dos espetáculos, alguns jornalistas, manequins, o dito Alfion, gente que freqüenta as colunas dos jornais, mas não identificava os amigos do De Lourenço, ricaços como ele, que lá estavam para conhecer de perto e desfrutar a graça dos jograis dos palcos e estúdios. Apenas soube, apontada por um dedo, que a senhora Liliane M., a adorável benemérita, era aquela de amplos decotes, e que o pessoal do açúcar comparecera, porém com toda a evidência não era festa para a camada de cima: esta apenas comprara ingressos para assistir.

Vi, então, o Pedro Márcio, mal acomodado em seu *smoking* comemorativo da 200ª representação de sua peça teatral, o Domingos Grinaldi, o crítico, muito polido ao lado da Dora, a declamadora, recém-chegada da Rússia e com notícias frescas da política internacional, o modelo fotográfico Simone – divino *out-door!* –, Clemente Vinhas, um dos contratados de Max o mais badalado cantor de sua geração, autor de *Venha, mas Venha com Kelene*, estrelas, estrelões num mar de aspirantes. Mas ainda se falava labialmente, sem gestos expansivos, risos controlados, deixando a conversa girar nas periferias da sensibilidade, jocosa, por vezes, mas comedida e social. Até mesmo Pedro Márcio, o boca-suja, que fizera do palavrão sua mina e marca pessoal, portava-se com uma cautela estudada, dando o direito ao diálogo em toda a roda onde aportava.

Superada a etapa decorativa dos coquetéis, necessária apenas para comprovar os conhecimentos farmacêuticos do dono da casa, passou-se sensatamente para o uísque, de consumo mais acelerado, sem preconceitos hepáticos, pois o que se bebia do De Lourenço era de indiscutível procedência escocesa. Foi aí, nesse revezamento de bandejas, nessa uniformização de copos e vasilhames que a festa realmente deslanchou, tomou embalo, ganhou corpo, fornecendo material que as colunas de fofocas exploraram, resultando, entre outras coisas, no desquite da estrelíssima Regina Lins, depois dum casamento modelar, fadado a provar que a televisão não era o que se pensava. Sobre esse caso, talvez fale mais tarde, talvez porque alguém me pediu para não pôr mais lenha nessa fogueira, promessa que lhe fiz, mas que não me fiz.

O primeiro desentendimento, suponho, aconteceu na pérgula, atraente esconderijo para namorados, onde Tony Cardoso, jovem *video-star,* que vestia empolgante camisa aluminizada, foi visto beijar por sucção uma garota da sociedade apelidada Pimpa. Acontece que quem viu o ato foi justamente o Carlão, noivo dela, preguiçoso filho dum magnata, cuja única disposição física era para o levantamento de alteres.

– Nossa! Ele não pode fazer isso com o Tony! – protestou o Assumido, com voz irritada, em ponto de SOS.

Observando a correria, segui para a pérgula, segurando o meu copo, a tempo de ver o alterofilista massacrar o bonito galã de encontro a uma esguia coluneta de mármore. A noivinha apenas chorava mansamente, revelando, a olhos experientes, certa cancha de flagrantes. E enquanto a separação era feita em caráter de urgência, o De Lourenço, pondo em ação seu bom humor de anfitrião escolado, filmava tudo, tendo obtido, como vi mais tarde em projeção, um *close up* que lembrou o histórico murro com que Rocky Marciano arrancou o cinturão do velho Joe Walcott.

Tony Cardoso foi levado até o portão por colegas do elenco e algumas fanzocas, interessadas no que ainda restava do galã, mas lá chegando fincou o pé no solo com infantil teimosia, garantindo que não ia embora. De fato, desatendendo a conselhos de bons amigos, voltou à mansão e logo mais era reconhecido no Azulão, onde, de copo em punho, atraía com seus hematomas a atenção e as carícias da vedetíssima Íris Rodrigues.

Logo após o conflito, alguém lembrou de musicar o ambiente, o que apagou bem depressa a impressão deixada pelo caso Tony Cardoso. Do jardim, perfumado pelas damas-da-noite, eu via os pares dançando no Azulão, muito apertados, cochichando. A comemoração saía de sua etapa protocolar para soltar-se, mais à vontade, quando a tendência maior é para a dança ou os papos entre velhos amigos. Essa etapa, que nas festas acontece no geral entre meia-noite e meia e uma e quarenta e cinco, é bastante divertida e inconseqüente, e as pessoas que se retiram no fim desse período levam para a casa as melhores recordação. Muitas deveriam tê-lo feito naquela noite.

Depois de uma e meia, é que afinal Mara Rios entrou sentada no capô do Mercedinho, dirigido pelo cabeludo Laurucho, que assim estreava nas grandes noites como amante da estrela. Mata virava o gargalo do Vat 69 e depois num largo arremesso atirou a garrafa na piscina antes que o carro parasse totalmente.

– Luzes! Câmera! Ação! – comandava o De Lourenço com sua Super-8.

O Assumido e o Enrustido correram a abraçar a estrela, toda radiosa em sua 200ª, a sorrir e a repetir:

– Vim desde o teatro no capô! Foi um sarro, malandros!
– Venha com a gente, Marinha, venha!
– Sabe que um bruto amassou o nosso Tony?

Quis tocá-la e fiz algum esforço, mas O Pra lua e o Pedro Márcio tomaram conta da recém-chegada para encenar intimidade e receber no rosto sua luz própria. Seguiram então para o social Azulão, enquanto o Laurucho permaneceu no Mercedinho, sentado em seu novo *status*, sob as lentes e foco do De Lourenço, já sem a preocupação de economizar rolo.

A chegada de Mara Rios, com a corda toda, deu à festa o empurrão imprescindível, fez o bolo crescer, marcou o momento da grande ascensão, e o comportamento geral dali por diante sofreu visíveis alterações. Não seria assim se Mara não tivesse o temperamento correto e a sociabilidade ajustada para aquele tipo de festejos. Desinibida, com muito breu para queimar, e no instante mais favorável de sua carreira, ela entregava-se toda, oral e muscularmente, ao que chamava de higiene mental, e agia ainda com maior expansão e garra quando entre os convivas visualizava alguém que no passado, descrendo em seu talento, criara-lhe obstáculos e pisara-lhe nos calos. Por isso, logo ao entrar no Azulão, disse-lhe o coração que aquela noite iria à forra: premendo seu Rodo Metálico, gordo e senhor do mundo, estava lá o honorável Max Bisnaga, que há menos de dois anos lhe negara uma insignificante ponta num *show* do Odeon. De Lourenço, ainda consciente e seletivo, conduziu-a pelo braço a um canto, mas logo provaria não ser o vigilante ideal para determinadas circunstâncias.

Sabendo da profunda mágoa preta que Mara Rios curtia, fui ficando por perto, crendo antes de ver. Não precisei esperar muito pelo espetáculo, pois a atriz, em noite de comemoração, aproximou-se logo do empresário musical, e enriquecendo o seu *curriculum*, atirou-lhe na cara lustrosa um copo do bom uísque do De Lourenço. Mas ele não era criatura que se descontrolasse por tão pouco. Apenas preferiu mudar de ambiente, sem prever que Mara o seguiria com seu repertório de palavrões e insultos.

— Aonde vai, judeu imundo? Fique aqui e agüente o tranco. Não vai querer me esnobar agora, vai? Está vendo esse mundaréu de gente? Vieram todos pra me prestigiar!

O Pra Lua, cuja popularidade como ator não cabia numa colher de chá, mas que figurava sempre em qualquer elenco, tratou imediatamente de usar seu sortimento de panos quentes, receando que uma ruptura irreparável lhe obrigasse a optar por um dos dois partidos.

Mara insistia:

— Pára aí, Max!

— Afinal, o que você quer?

— Que se ajoelhe e peça desculpas.

— Me ajoelho, mas não aqui – respondeu Max a enxugar o rosto com o lenço. – Vamos para a pérgula.

— Não, tem que se ajoelhar aqui mesmo, no Azulão.

O Pra Lua enfiou um lança-perfume na mão de Mara.

— Cheire isso, Marinha.

— Cheiro nada, quero que ele ajoelhe.

Max, dando uma prova vertical de humildade, ajoelhou-se, enquanto alguns dos seus amigos improvisavam uma roda para isolar a área vexaminosa. De Lourenço, embora o amasse e com ele tivesse negócios, fez funcionar a câmara, *take* que mais tarde negociaria em troca de lança-perfumes, a moeda forte do empresário.

— Peço-lhe desculpas, Mara minha! Não tive a percepção para reconhecer seu talento. É que sou homem de *shows,* não de teatro.

— Isso não basta!

— O que vai querer mais?

Mara subiu-lhe nas costas, não visualmente satisfeita.

— Vamos, cavalinho! Quero dar uma volta pela casa. Upa! Upa!

Logan aceitou a brincadeira com maior disposição que seus músculos, e carregando sua cruz, saiu do Azulão com Mara no cangote, e bastante trôpego com aquelas pernas curtas deu uma volta completa rente ao muro da mansão, passando pela piscina e pela pérgula, sempre seguido pela Super-8 e por um grupo crescente de curiosos. Ao retornar ao *living,* com o coração na boca, as pernas bambas, Max depositou a elegante carga no ponto de partida, feliz, contudo, por ter feito as pazes com a nova luz do estrelato. Assim que aterrissou, Mara beijou com estalo as faces de Max e foram os dois para o jardim de inverno fazer os últimos reparos da reconciliação e cheirar o mesmo lança-perfume.

Já que aludi mais uma vez à arma secreta de Logan, creio poder garantir que foi a partir desse momento estabelecida a supremacia do éter sobre o álcool. Mesmo os que não conheciam a casa, guiados pelo olfato ou por instintos cleptomaníacos, dirigiam-se ao escritório do De Lourenço e dele saíam com as brilhantes ampolas de Rodo Metálico. Os mais retraídos ficavam à porta, com lenço na mão, olhos suplicantes, olhos de pierrô, trocando um sorriso por uma esguichada aromática de Kelene. Não participei do assalto, mas a volatilidade do tóxico dispensava inclusive o lenço dobrado. Bastava respirar normalmente para que logo se sentisse os efeitos da imponderabilidade, recurso que a medicina ainda não lembrou para o tratamento do reumatismo e da artrose. Notei então uma alteração total na maneira e ritmo com que as pessoas se movimentavam, mesmo os dançarinos, sem aquela pressa de se divertir, todos mais introspectivos, alguns estacados como postes, inclusive os garçons, a usufruírem prazeres particulares, restritos à cuca, que apenas um milimétrico sorriso revelava. O éter, além de restringir a ambição do espaço, ao contrário do álcool, que induz até à motomania, produz alterações ópticas e óticas. O som penetra mais fundo no pavilhão auditivo, produzindo uma espécie de engavetamento sonoro. Das músicas percebe-se o ritmo, a melodia, não. Os instrumentos de percussão encobrem totalmente as cordas, dando a impressão de que se ouve uma música cósmica, planetária, reveladora de mundos, aumentando a possibilidade do contato intergalaxial. Quanto à visão, sensibiliza-se mais às cores fortes, afirmativas, enfatizando o vermelho e o verde, repelindo os tons neutros e cambiantes, como as cores dum mundo nascente, sem rebuscamentos cromáticos, imitação de Gauguin e das madrugadas polinésias. Já no tocante ao campo do pensamento, o vôo é rasante, preso às fantasias momísticas fixadas na juventude, e tudo que se consegue imaginar, relativo ao tríduo, não vai além do triângulo Pierrô, Colombina e Arlequim, quero dizer, o amor e suas maquinações enxadrísticas. O Kelene não está na bula dos filósofos, mas dos vivedores, sensuais e imediatistas como Max Logan e De Lourenço.

Para a maioria, no entanto, o lança-perfume foi mais objeto de nostalgia e transgressão. Quase todos, sem preparo astronáutico ou por apego excessivo aos interesses em jogo, voltaram ao uísque tradicional. Pedro Márcio, por exemplo, o teatrólogo, cuja peça produzida pelo dono da casa e interpretada por Mara Rios completava duas centenas de representações, apenas uma vez foi visto cheirando o lenço. O fantástico para ele era a realidade, sua lapela de cetim. Há um ano, era um não-ilustre desconhecido que nas horas vagas de seu ócio total rascunhava algumas peças experimentais: um belo dia remeteu uma delas para a censura e quis Deus que fosse proibida. Durante meses, as cópias da peça viajaram de mão em mão, chegando às de dedos bem tratados e unhas polidas do crítico Domingos Grinaldi. Aproveitando a onda que se erguia a favor de Pedro, Domingos sentou-se numa bóia de cortiça e foi na crista, anunciando-se o descobridor dum novo gênio.

Já o redator principal de *A Voz do Povo*, convidado à festa por De Lourenço, sempre com um pé em cada canoa, duvidava do caráter e da autenticidade revolucionária da peça teatral de Pedro Márcio. Antes dali e desde que se encontraram na casa, trocaram palavras e insultos. O jornalista dizia que uma peça ou música, ingressos e discos vendidos, só tinham o mérito de fazer novos milionários. Eram mensagens que não chegavam ao povo e só objetivavam o faturamento.

– O teatro vai resolver o seu problema, não o problema da massa – dizia o jornalista.

Com seu escocês na mão, e enfiado no *smoking*, Pedro Márcio revidava:

– Pus o dedo na ferida!

– Você fala como se fosse o descobridor da miséria.

— Pus o dedo na ferida! — repetia o teatrólogo.

— E ganhou em troca um apartamento!

Domingos aproximou-se em defesa de Pedro, mas seu tom de voz pequeno não dava acústica ao pensamento. Mesmo assim se ouviu que escrever sobre o proletariado já era alguma coisa, pôr o dedo na ferida era um ato de coragem, sim. Pedro Márcio não se alienava, participava.

O jornalista apontou o De Lourenço que dançava com a maneca Denise cheirando e fazendo-a cheirar o lança-perfume.

— Se sua peça oferecesse perigo, aquele homem não a montaria. Ele vê nela um bom negócio! E está certo! É quem mais fatura! Vocês são revolucionários de araque, tá?

Apanhei um Rodo, deixado por Íris, que desmaiara por ter retido o éter por tempo demasiado, e fui ao jardim justamente no momento em que o Enrustido subia ao muro. Levava um copo na mão, mas mesmo assim equilibrava-se. O Assumido, embaixo, acompanhava-o aflito, seguido por um grupo que emitia grunhidos, temendo o desabamento. Indiferente às súplicas do companheiro e aos receios da ambulante platéia, o Enrustido prosseguia lentamente o seu trajeto. Mais além, percebi que chorava e dizia-se infeliz. Não gostava do mundo e o mundo não gostava dele.

— O que fiz pra sofrer tanto? Por que todos me tratam dessa maneira? Vou acabar com a vida!

O Assumido tentou puxá-lo pelas canelas, para que descesse, mas seu par constante ameaçou-lhe pisar as mãos ou chegou a pisar, não vi. Então, por boa intenção ou pelo desejo mórbido de fazer revelações públicas, foi dizendo enquanto do chão seguia o companheiro no muro:

— Desça e assuma! Desça e assuma!

O Enrustido, com seu copo, não ouvia nem respondia. Trocando os passos sem temer o perigo, mas cada vez mais perto dele, continuava choramingando:

— Por que me perseguem? Por que me torturam?

— Ninguém lhe quer mal — garantia o assumido. — Também já me senti como você, lembram? Mas agora sou livre! Encaro as pessoas! Sou feliz!

O homem sobre o muro não tomava conhecimento nem mesmo da Super-8 do De Lourenço, que por nada deste mundo perderia aquela bela tomada de baixo para cima. Foram os melhores *takes* da noite, como vimos depois.

— Assuma! — berrava o já assumido. — Enfrente e assuma!

Foi então que olhando ao jardim, vi o Laurucho ainda dentro do Mercedinho, servido por um garçom. Ele lá, no seu *status*, no assento de amante de Mara, era o espetáculo que mais apreciava, mas saiu do carro ao sentir que todos os olhares convergiam para o *show* aéreo que o Enrustido estava oferecendo. Perguntou:

— O que aconteceu?

— Veja! O portão! Ele vai ter que parar.

Certo, o Enrustido, no meio do caminho e do autodesafio encontrara um obstáculo: o portão. Teria que descer ou voltar; preferiu não fazer uma coisa nem outra. Depois de atirar o copo no meio da rua, agarrou-se às barras superiores e agitando as pernas soltas, à procura de pontos de apoio, conquistava a cada metro de espetáculo o aplauso e o respeito da assistência. Até a senhora da beneficência, cujo respeitável nome não recordo no momento, foi incentivar o homem-mosca, talvez já pensando em prováveis rendas para seus excepcionais. Apenas o Assumido, vendo o seu par tão delirantemente aplaudido por mãos e gritos femininos, tentava ainda dissuadi-lo de tão masculina empreitada.

— O que você quer provar? Isso é ridículo! Desça e assuma!

O Enrustido, movido a pequenos impulsos, atando-se pelas garras, sempre a pendular as pernas, conseguiu enfim transpor o portão via aérea até repousar os pés novamente no muro para continuar circundando a mansão a caminho da pérgula. Já mais confiante e quase sem o auxílio das asas, seguia agora em compasso de passeio, com uma confiança que vinha de dentro, e assim como um transeunte, sem ao menos estender os braços nem usar guarda-chuva para equilibrar-se, chegou gloriosamente ao ponto de chegada. Lá do alto, antes de saltar para a grama, o Enrustido sorriu para a objetiva do De Lourenço e para todos que acompanharam sua esplêndida proeza. Em seguida, em *slow-motion*, como um pára-quedista num feliz mergulho dominical, voou do muro para o jardim, caindo de pé com toda graça e leveza. Não sei se o artista da Super-8 filmou a empolgante aparição de Íris Rodrigues, já refeita do desmaio, que empurrando uns e outros atirou-se aos braços do Enrustido para pregar-lhe na boca o maior beijo que já se vira desde os tempos do cinema mudo. Num *take* instantâneo, vi a expressão de horror do Assumido, escandalizado, enquanto o outro, já chamado de Walfrido, passava o braço em torno da cintura da vedete, conduzindo-a para o lugar menos iluminado da pérgula. Tivemos a impressão de ver outro homem, inclusive mais alto e com os ombros mais largos. A autora do milagre deixava-se conduzir por ele, com um sorriso de luz fluorescente, submissa e encantada. O Assumido foi atrás, não convencido, e observado por cem olhos, puxou o ex-Enrustido pelo braço para livrá-lo da porca fêmea. Seu antigo par, descobrindo ou redescobrindo novas sensações, empurrou-o de leve e tomou a iniciativa de beijar a cobiçada Íris. Para o Assumido foi uma provocação à queima-roupa. E um tapa no rosto da boa moça do rebolado deu à seqüência o impacto que faltava.

– Você vai pagar por isso, seu... seu...

Era a voz do então Walfrido, toda peitoral, sem dubiedades, reafinada para novo comportamento sexual.

– Vamos, largue essa escrota. Você não é disso que eu sei.

Desta vez quem tremeu nas bases e acabou indo abraçar uma coluneta da pérgula, com o ímpeto de quem se atira à sua progenitora no Dia das Mães, foi o Assumido. Então cometeu seu grande erro: reagiu. À sua maneira, a unhadas e beliscões, mas reagiu. Walfrido, esquecendo o antigo relacionamento, passou a bombardear o caro colega com uma saraivada de murros, um-dois, com ritmo e pontaria, um-dois, em cima e embaixo, sem esforço nem piedade. Nocauteado de pé, sem o favor da contagem, o Assumido nem podia recuar, devido à coluneta. Se não fosse a pronta intervenção de vários, entre os quais divisei O Pra Lua, algo muito pior teria acontecido. Aí o Assumido não fez mais nada, e sozinho, mesmo sem a companhia de seu anjo da guarda, foi dar um triste passeio pelo jardim. Até o gozativo De Lourenço teve pena ou pudor de filmá-lo.

Não havendo mais nada para ver nos exteriores, voltei ao Azulão onde a *discothèque* do dono da casa, funcionando nos sulcos da nostalgia, estourava os nossos ouvidos, imaginem, com um mambo-jambo de Perez Prado: *mambo, que rico el mambo, mambo*. A animação do *living* não esfriara com os acontecimentos da pérgula. Ainda se dançava dentro de determinados padrões e via-se Mara Rios que, reconciliada com Max Bisnaga, tendo usado a indestrutível esponja do passado, fazia-se arrastar por ele com o queixo firmado como uma estaca em seu ombro. Seu último caso, o Larucho, sentado e cheirando lança-perfume, contemplava-os sem ciúme, já identificando os dentes da engrenagem naquele emaranhado de formas e cores psicodélicas. Vi também o Alfion, o doce figurinista, que vagava como uma pluma, a ostentar na lapela de cetim e na alma de paetês sua badalada Agulha de Ouro, com a qual costumava espetar o bolso dos maridos ricos. O Pra Lua dançava com uma atriz negra. Tony Cardoso curava-se da surra tomando champanha no gargalo. O teatrólogo, falando sem parar, sentindo-se o rei da festa, discutia ainda com o já referido redator de *A Voz do Povo*.

— O que você quer? Que a gente atire coquetéis Molotov?

— Eu não disse isso, eu não disse isso... defendia-se o articulista. — Também sou contra a violência.

— Se você combate os intelectuais de esquerda...

— Não combato! — Apenas denuncio a falsificação ideológica! Gente que quer tirar vantagem... Que faz da miséria do povo uma caixa registradora.

— Não temos culpa se o teatro de protesto dá dinheiro, temos?

A discussão era nesses termos, acho que era nesses termos. Lembro-me que o De Lourenço apareceu e fez uma pilhéria, coisa assim: "troquemos *Molotov* pelo *strogonoff*". E apontou para o corredor que levava à cozinha, donde vinha um apetitoso aroma.

Embora o convite não tivesse sido dirigido a mim, segui para a cozinha, pois já sabia naquele ano que o sólido aumenta a resistência ao líquido. Foi aí que presenciei o episódio do chupão que um penetra deu no pescoço de Denise, que resultou em pronta reação de seu acompanhante. Tive a impressão de ouvir as costelas do aludido estalarem, premidas por uma chave de braço, quando alguém que se dizia radiologista, e que jogava tanto quanto as antigas barcas de Niterói, fez um sumário exame nas costas do atrevido, concluindo pela fratura. Não lhe deram crédito, porém, com o que não se importou, pondo-se a premer o nariz no lenço embebido de éter.

Na cozinha, assim que acabei de limpar o prato de *strogonoff* começou a falada zorra com o professor Arquimedes por motivos difusos ou ignorados. Nada tinha contra ele, pelo contrário: simpatizava com seus hábitos e maneiras. Semanas depois, encontramo-nos e nenhum de nós fez referência ao sucedido. Suponho, apenas, que um ou outro, ou nós dois, tínhamos feito uso desmedido do Rodo Metálico. O certo, segundo mais a informações que lembranças, é que fomos combater no jardim, eu portando um carrinho de feira, ele uma pequena escada de ferro que encontrou na despensa. Acredito que a desigualdade das armas ou sua originalidade, jamais postas em choque e teste, despertou de imediato a ibopeana curiosidade dos convivas a ponto de esvaziar momentaneamente o Azulão. À luz da lua e das estrelas, num vai-e-vem que ia da piscina à pérgula, em ímpetos e recuos estratégicos, a segurar com ambas as mãos e máxima firmeza nossos instrumentos, batíamos com tal denodo e destreza, que me faz relançar sem pejo a palavra galhardia. Ninguém ensaiava ao menos impedir o combate, não porque desejavam ver sangue correr, mas encantados com o toque medieval daquela surda disputa, que não mostrava o equilíbrio fajuto dessas lutas de vale-tudo na televisão. Ora o professor martelava sua escada, pondo-me em apuros entre dois bancos de mármore da pérgula, ora eu, brandindo meu carrinho de feira, ameaçava atirá-lo à piscina, onde alguns, completamente vestidos, nadavam e torciam. Num dos lances mais imprevistos, tive que recuar, entrar de costas na mansão e atravessar todo o *living*. Mas numa hábil virada, recordação de velhos filmes de Errol Flyn, obriguei o intelectual e sua escada a saírem de costas pela cozinha.

Voltamos a combater no jardim, revigorados pelo ar fresco da madrugada, aplaudidos por quase uma centena de espectadores, embora conste que o Alfion perdeu os sentidos ante tanta violência. A luta parecia estar ainda muito distante do fim, e cada vez mais à maneira dos cavaleiros da Távola Redonda, quando as alças do meu carrinho se romperam e por um instante tive a certeza de que meu heróico contendor me deceparia a cabeça com sua escada. Ao verem minha arma rolar pela grama, ouviu-se um "ó" ou "oh!", não recordo, e eu já ia buscar refúgio não sei onde, quando o cavaleiro da Corte do Rei Artur, provando sua fina educação, aperfeiçoada se não me engano no Mackenzie College, abandonou sua arma de guerra e fez-me uma salvadora mesura.

Recolhi meu Rodo, que caíra do bolso, e curvei-me ante o público, indicado pela generosidade do meu adversário. O que fiz imediatamente não recordo, pois, no meu videoteipe particular, só agora via o Enrustido sobre o muro, mas talvez foi aí, na confusão de imagens, que o jornalista de *A Voz do Povo*, subindo numa cadeira e depois na mesa, começava a gritar em evidente provocação ao teatrólogo:

— Viva a festiva! Viva a festiva!

O crítico Domingos Grinaldi fez menção de retirar-se, levando a noiva pelo braço, mas erguendo a voz o mais que pôde, replicava:

— Duzentas representações! Duzentas representações!

— E com a casa lotada todos os dias! — acrescentava, também aos berros, Pedro Márcio.

Num pulo circense, o jornalista saltou da mesa para uma poltrona, feliz por ter encontrado uma forma com mais molho e agressão para expressar-se:

— Festiva com *strogonoff!*

Alfion passou por lá, mas não entendeu nada, embora não lhe agradasse ver aquele homem com os pés no estofado do De Lourenço. O Assumido estava de cabeça baixa num dos seus cantos, e Mara Rios, nos braços do Laurucho, muito doidões, beijavam-se na mira de um fotógrafo, completamente alheios aos gritos e às atitudes do redator principal de *A Voz do Povo*.

— Festiva com *strogonoff!* Com Chivas Regal! Com De Lourenço!

— Vamos acabar com isso — berrou o teatrólogo.

— Com Rodo Metálico!

— Desça daí, seu penetra — protestou a noiva do crítico.

O jornalista, noutro salto, voou para a mesa.

— Com *rock-and-roll!*

Pedro Márcio puxou as pernas do baderneiro marxista, obrigando-o a pisar no chão.

— Com piscina de água quente!

Domingos Grinaldi segurou o gênio popular que ia partir para a ignorância.

— Com Mercedes-Benz!

Nessa seqüência, saí atrás de um garçom que fora para o jardim com sua bandeja, e já estava de posse do meu copo, quando vi em autocontraste, devido ao excesso de iluminação, o festejado teatrólogo empurrando aos bofetões e traulitadas o articulista em direção à aristocrática piscina. Ouvi o puft e vi-o cair na água, perto do trampolim, percebendo logo que, por culpa duma educação proletária, ignorava tanto o nado de peito quanto o de costas ou o borboleta. Pior ainda, não aprendera a boiar, prática facílima que mais exige o abandono do corpo, como se ensina nas velhas escolas de dança, e portanto, como uma âncora, afundou três metros, deixando em seu lugar algumas borbulhas ornamentais. Talvez por não estar vestindo *smoking* ou devido à pequena tiragem de seu jornal, ninguém se preocupou em socorrê-lo, e o próprio Pedro Márcio, Prêmio Air France de Teatro, virou as costas às bolhas de ar, regressando ao Azulão. Eu fui o único, graças a Deus, que movido pelo meu bom coração, tentei fazer algo, empurrando na piscina um garçom que no momento passava com dois pratos cheios de *strogonoff.*

— Há um homem no fundo — avisei.

O garçom não sabia nadar também, e foi procurando o raso, o que me obrigou a empurrar um segundo à piscina, que levava uma bandeja com mais de uma dúzia de copos de uísque. Este, logo entendendo a situação, mergulhou, voltando logo à tona e puxando pelas axilas o editorialista de *A Voz do Povo.* E o notável, pasmem, é que a anfíbia criatura, apesar da muita água bebida, ainda repetia com fé os seus refrões:

— Festiva com *strogonoff!* Festiva com Rodo Metálico!

Um terceiro garçom ajudou o segundo a retirar o náufrago da piscina, que todo encharcado, e arrancando em pasta do bolso seu artigo de fundo, esticou-se na grama para secá-lo e para secar-se.

Dei a volta pela mansão e entrei pela área de serviço, informado de que, nos quartos de empregada, as coisas aconteciam ainda com maior liberalidade. Dando crédito a essa voz amiga, fui. Num deles apenas se fumava maconha, um grupinho em família, mas no outro, O Pra Lua, com a calça descida, sobre a cama, possuía a Mônica, uma das manecas do Alfion. O que me chamou mais a atenção, no entanto, foi o que vi sob a cama: meia cabeça para fora lá estava a dormir o rapaz que me acompanhara ao *party*, e que não tivera mais o prazer de vê-lo, desde as onze. Tentei retirá-lo dali, a despeito do que se passava na parte superior da cama, sem conseguir. O moço não dava sinal de vida, se bem não estivesse morto. O fato é que não saiu naquela noite, não saiu na manhã seguinte, só acordando às três horas da tarde, quando um aspirador lhe chupou os cabelos.

O que aconteceu com Leila Maria confesso que não vi a olhos nus. Só veria mais tarde, noites após, na própria mansão do De Lourenço, quando se reuniram algumas pessoas que haviam participado da comemoração. Leila Maria, atriz de certo nome, nada afeita a orgias coletivas, que se orgulhava de manter relativa castidade no ambiente, ficou em estado de choque quando viu na tela do *living*, a cores, em vários planos, suas relações sexuais com o Laurucho, Pedro Márcio e O Pra Lua, que esteve em sua melhor forma em toda a festa. Conhecia bem a moça e sabia que não era disso, mas o filme estava lá, para quem quisesse ver, embora De Lourenço não se lembrasse de ter filmado nada que se parecesse com aquilo. O próprio Laurucho jurava que apenas recordava o momento em que dançara com a atriz no lavabo, os dois parcialmente despidos. Leila, porém, não podendo descrer do que via, e pensando nas conseqüências que poderiam advir daquele rolo, sem mesmo implorar ao De Loutenço que inutilizasse aquelas cenas, saiu dali correndo, entrou no carro, estacionado no jardim, e desapareceu. Mas na mesma noite um telefonema informava que perdera a direção e batera num poste, estando internada no Hospital de Defeitos na Face.

O desquite de Regina Lins também foi motivado pela câmera do *veedor-geral* que, escondido num armário embutido, e topando as dificuldades dum agente secreto, à guisa de teste de iluminação, rodou alguns pés com a clareza suficiente para mostrar a referida ajoelhada ante uma cama, à qual se sentara com a braguilha aberta alguém que segurava um Rodo, e que podia ser Max Bisnaga, Tony Cardoso ou um publicitário de nome Dinovan, que apareceu já embriagado no fim da festa.

Quando eu supunha que o Assumido, após a derrota sofrida, atentasse de qualquer forma contra a existência, não é que o vejo, no jardim de inverno, ele e o sonoplasta duma telenovela dançando maciçamente, com pés de borracha, talvez o único instante de lirismo e encontro que presenciei naquelas sete horas passadas na mansão do De Lourenço. Como estavam a sós, enlaçados por um velho sucesso, parece que de Sinatra, retirei-me sem ser visto, retornando à zueira do Azulão.

Acho que pouco antes do grande branco que viria depois, sei que alguém estava ao telefone, na biblioteca, e voltando-se para um pequeno grupo, embora sem o desejo de desmanchar prazeres, informou:

— Está havendo uma revolução.
— O quê?
— Uma revolução.
— Onde?
— No país.

Se ouvisse "a Terra está sendo invadida pelos marcianos" minha reação teria sido a mesma, isto é, nenhuma, pois sentado no espaço puxei conversa com Max na intenção de contar-lhe uma idéia para um *show* que eu bolara. Max ouviu as primeiras palavras e depois saiu pela janela para ir boiar como uma enorme bola sobre a piscina. Foi então que a bela mansão inclinou-se para a esquerda e vi alguns objetos, principalmente garrafas, escorregarem sobre a mesa, mas não caírem: curioso. Aos poucos fui me habituando àquela inclinação e percebi que se podia andar e mesmo dançar sem o risco de tombos iminentes. Contudo era mais prudente andar junto às paredes, apoiando-se nelas ou segurando-se nos móveis, pois a inclinação às vezes acentuava-se. Senti-me melhor, no entanto, quando uma mulher, não lembro quem, tirou-me para dançar, o que foi durante alguns minutos excelente ponto de apoio. Mas quando ela me abandonou, no meio do *living*, que estava muito mais comprido, fiquei momentaneamente desamparado, até que mãos invisíveis e bem intencionadas conduziram-me ao jardim, onde me estirei na grama. Não nos primeiros momentos, mas muito depois, observei que não era eu o único que saíra em busca do verde. Outros, também procurando contato com a natureza, descansavam ou dormiam na grama. Alguém vomitava ao meu lado, mas devido a um torcicolo não pude verificar se era homem ou mulher.

Quando consegui sentar-me pude ver dali, iluminada e repleta de banhistas vestidos, a hollywoodesca piscina do De Lourenço. Atraído pela luz devo ter feito algum esforço para ir até lá, ao contrário de Laurucho que se movimentava perfeitamente de quatro. Mesmo assim, o pouco que me aproximei deu para distinguir Mara Rios, a dama da benemerência, o ex-Enrustido e Íris Rodrigues que nadavam à vontade, no estilo cachorrinho, apesar da piscina também estar inclinada.

Como mais tarde vi nos *takes* do De Lourenço, caminhei até o trampolim, ao qual me segurei, abraçando-o, com medo natural de morrer afogado. Mas não lembro disso, nem da bofetada que, diante de mim, alguém aplicou em Max Bisnaga, o que foi injusto, porque o empresário foi impecável naquela noite, disseram. Lembro-me de ter visto alguns rodos boiando na piscina e o Assumido e o sonoplasta entrando no banco traseiro dum carro. O estranho, constatado depois da projeção, foi ver sempre a meu lado a lésbica Carleta, extra do cinema pornô, quando não a vi uma só vez, ao vivo quero dizer, durante toda a festa. Bem fazia, convenhamos, o De Lourenço, que confiava mais na câmera que nos olhos humanos.

Deixem-me agora falar do De Lourenço, o milhardário, o industrial que por deleite e fantasia costumava produzir peças teatrais e filmes cinematográficos. É respeitoso falar do dono da casa, o cavalheiro que afinal nos proporcionou a noitada. Depois de tudo filmado e documentado, largou-se ao ar livre, inclinado como tudo, uns trinta ou quarenta centímetros. Disse que se largou e foi numa poltrona de junco e começou a rir, a rir com muito peito e saúde, um riso, risada ou gargalhada (estava um tanto escuro para ver) que não era o nosso, dos pobrezinhos, mas dum homem que vencera e comprovava, e que podia soltar-se, assim como fazia, acima de qualquer comentário ou mal-entendido. Todos estavam em sua Super-8, menos ele, o filmador, o diretor de imagens, e isso, acho eu agora, era engraçado. Seguro ao trampolim, com receio de cair na piscina e morrer afogado, ouvia a gargalhada do De Lourenço, e entre a vida e a morte entendia o seu poder.

Não sei como saí daquela incômoda posição, mas, segundo o que senti e contaram-me, fui-me dirigindo ao portão, já quase de manhã, andando de quatro. Mas não ia só, ia em grupo com o Pedro Márcio, o Laurucho, o Pra Lua e alguém mais. Acredito que, naquela turma, o único que se mantinha de pé, quase ereto, embora sem a noiva, era o crítico teatral Grinaldi. Vi carros que saíam com seus faróis ligados e quase nos atropelavam. Um deles, um Aero, foi bater no muro da casa fronteira derrubando-o parcialmente. Não é verdade, porém, que o Karmann Ghia de Íris tenha caído na piscina: apenas pôs por terra uma das colunetas da pérgula. Os comentários sobre a comemoração foram exagerados, quando não maldosos. O mundo é assim mesmo.

Acho que já estava amanhecendo quando eu, o Pedro Márcio, o Pra Lua, alguém mais e o crítico, que insistia em caminhar apenas sobre os pés, alcançamos a rua. E fomos assim, na posição verdadeira do homem, seguindo para a esquina, banhados pelas luzes dos jardins da mansão do De Lourenço. Apenas O Pra Lua ainda cheirava lança-perfume. Detrás dos muros de hera, uma mulher gritava, dizendo-se violentada, mas como já estávamos de regresso, não nos interessamos.

O teatrólogo, o moço das 200 representações, vendo as coisas do nível da rua, rente ao solo, percebeu uma massa cinzenta mover-se na esquina. Parou.

— O que é aquilo?

Não porque pudesse ver, mas porque ainda pudesse falar, o Pra Lua disse:

— Um simples caminhão de lixo.

O Laurucho, que jamais retornaria ao leito de Mara Rios, devido a seu procedimento naquela noite, acrescentou informações:

— De fato é um caminhão de lixo. Com muitos lixeiros em cima.

A outra pessoa que nos acompanhava, e que nunca soube quem era, babando, observou:

— Os lixeiros não estão recolhendo lixo. E têm metralhadoras.

O crítico teatral, nostálgico, balbuciou:

— Quero voltar à casa do De Lourenço. Vou fazer um discurso.

Alguém me pisou na mão direita. A dor imediatamente me fez ver tudo mais claro e nítido, embora em preto e branco. A coisa, na rua, antediluviana, aproximava-se, dispensando o uso de pneus.

— Não é um caminhão de lixo — garanti com a cara a um palmo do chão.

Pedro Márcio cerrou os pequenos olhos, querendo enxergar por pressão.

— Então que diabo é?

O Pra Lua tentou firmar-se sobre as patas, mas caiu de joelhos, enquanto o Laurucho, levando a mão aos olhos, em viseira, partilhava de minha opinião.

— É mesmo, não é um caminhão de lixo.

Observei mais um instante, vendo o monstro deslizar pesadamente, ao tempo em que suas antenas, em forma de canos, agitavam-se. Lembrei a informação do telefone.

— Acho que sei o que é.

O De Lourenço, de braço dado com a senhora da beneficência, surgiu ao portão, e ambos cumprimentaram, com acenos e simpatia, os ocupantes do veículo.

— É um tanque de guerra — eu disse.

Pedro Márcio ainda premia os olhos, incrédulo. Grinaldi, desequilibrado, caiu de joelhos.

Ora, eu não estava tão bêbado assim: era mesmo um tanque de guerra.

Bibliografia

LIVROS

CONTOS, NOVELAS E ROMANCES

– *Ferradura dá sorte?* (romance), Edaglit, 1963 [republicado como *A última corrida*, Ática, São Paulo, 1982].
– *Um gato no triângulo* (novela), Saraiva, São Paulo, 1953.
– *Café na cama* (romance), Autores Reunidos, São Paulo, 1960; Companhia das Letras, São Paulo, 2004.
– *Entre sem bater* (romance), Autores Reunidos, São Paulo, 1961.
– *Enterro da cafetina* (contos), Civilização Brasileira, Rio de Janeiro, 1967; Global, São Paulo, 2005.
– *Soy loco por ti, América!* (contos), L&PM, Porto Alegre, 1978; Global, São Paulo, 2005.
– *Memórias de um gigolô* (romance), Senzala, São Paulo, 1968; Companhia ds Letras, São Paulo, 2003.
– *O pêndulo da noite* (contos), Civilização Brasileira, Rio de Janeiro, 1977; Global, São Paulo, 2005.
– *Ópera de sabão* (romance), L&PM, Porto Alegre, 1979; Companhia das Letras, São Paulo, 2003.

- *Malditos paulistas* (romance), Ática, São Paulo, 1980; Companhia das Letras, São Paulo, 2003.
- *A arca dos marechais* (romance), Ática, São Paulo, 1985.
- *Essa noite ou nunca* (romance), Ática, São Paulo, 1988.
- *A sensação de setembro* (romance), Ática, São Paulo, 1989.
- *O último mamífero do Martinelli* (novela), Ática, São Paulo, 1995.
- *Os crimes do olho-de-boi* (romance), Ática, São Paulo, 1995.
- *Fantoches!* (novela), Ática, São Paulo, 1998.
- *Melhores Contos Marcos Rey* (contos), 2. ed., Global, São Paulo, 2001.
- *Melhores Crônicas Marcos Rey* (crônicas), Global, São Paulo, prelo.
- *O cão da meia-noite* (contos), Global, São Paulo, 2005.
- *Mano Ruan* (contos), Global, São Paulo, prelo.

INFANTO-JUVENIS

- *Não era uma vez*, Scritta, São Paulo, 1980.
- *O mistério do cinco estrelas*, Ática, São Paulo, 1981; Global, São Paulo, prelo.
- *O rapto do garoto de ouro*, Ática, São Paulo, 1982; Global, São Paulo, prelo.
- *Um cadáver ouve rádio*, Ática, São Paulo, 1983.
- *Sozinha no mundo*, Ática, São Paulo, 1984; Global, São Paulo, prelo.
- *Dinheiro do céu*, Ática, São Paulo, 1985; Global, São Paulo, prelo.
- *Enigma na televisão*, Ática, São Paulo, 1986; Global, São Paulo, prelo.
- *Bem-vindos ao Rio*, Ática, São Paulo, 1987; Global, São Paulo, prelo.
- *Garra de campeão*, Ática, São Paulo, 1988.
- *Corrida infernal*, Ática, São Paulo, 1989.
- *Quem manda já morreu*, Ática, São Paulo, 1990.
- *Na rota do perigo*, Ática, São Paulo, 1992.
- *Um rosto no computador*, Ática, São Paulo, 1993.
- *24 horas de terror*, Ática, São Paulo, 1994.
- *O diabo no porta-malas*, Ática, São Paulo, 1995.
- *Gincana da morte*, Ática, São Paulo, 1997.

Outros Títulos

- *Habitação* (divulgação), Donato Editora, 1961.
- *Os maiores crimes da história* (divulgação), Cultrix, São Paulo, 1967.
- *Proclamação da República* (paradidático), Ática, São Paulo, 1988.
- *O roteirista profissional* (ensaio), Ática, São Paulo, 1994.
- *Brasil, os fascinantes anos 20* (paradidático), Ática, São Paulo, 1994.
- *O coração roubado* (crônicas), Ática, São Paulo, 1996.
- *O caso do filho do encadernador* (autobiografia), Atual, São Paulo, 1997.
- *Muito prazer, livro* (divulgação), obra póstuma inacabada, Ática, São Paulo, 2002.

Televisão

Série Infantil

- *O sítio do picapau amarelo* (com Geraldo Casé, Wilson Rocha e Sylvan Paezzo), TV Globo, 1978-1985.

Minisséries

- *Os tigres,* TV Excelsior, 1968.
- *Memórias de um gigolô* (com Walter George Durst), TV Globo, 1985.

Novelas

- *O grande segredo,* TV Excelsior, 1967.
- *Super plá* (com Bráulio Pedroso), TV Tupi, 1969-1970.
- *Mais forte que o ódio,* TV Excelsior, 1970.
- *O signo da esperança,* TV Tupi, 1972.
- *O príncipe e o mendigo,* TV Record, 1972.

– *Cuca legal*, TV Globo, 1975.
– *A moreninha*, TV Globo, 1975-1976.
– *Tchan! A grande sacada*, TV Tupi, 1976-1977.

CINEMA

FILMES BASEADOS EM SEUS LIVROS E PEÇAS

– *Memórias de um gigolô*, 1970, direção de Alberto Pieralisi.
– *O enterro da cafetina*, 1971, direção de Alberto Pieralisi.
– *Café na cama*, 1973, direção de Alberto Pieralisi.
– *Patty, a mulher proibida* (baseado no conto "Mustang cor-de-sangue"), 1979, direção de Luiz Gonzaga dos Santos.
– *O quarto da viúva* (baseado na peça *A próxima vítima*), 1976, direção de Sebastião de Souza.
– *Ainda agarro esta vizinha* (baseado na peça *Living e w.c.*), 1974, direção de Pedro Rovai.
– *Sedução*, Fauze Mansur.

TEATRO

– *Eva*, 1942.
– *A próxima vítima*, 1967.
– *Living e w.c.*, 1972.
– *Os parceiros* (*Faça uma cara inteligente e depois pode voltar ao normal*), 1977.
– *A noite mais quente do ano* (inédita)..

Biografia

Marcos Rey, pseudônimo de Edmundo Donato, nasceu em São Paulo, 1925, cidade que sempre foi o cenário de seus contos e romances. Estreou em 1953 com a novela *Um gato no triângulo*. Apenas sete anos depois publicaria o romance *Café na cama*, um dos *best-sellers* dos anos 60. Seguiram-se *Entre sem bater, O enterro da cafetina, Memórias de um gigolô, Ópera de sabão, A arca dos marechais, O último mamífero do Martinelli* e outros. Teve inúmeros romances adaptados para o cinema e traduzidos. *Memórias de um gigolô* fez sucesso em inúmeros países, notadamente na Alemanha, e foi também filme e minissérie da TV Globo. Marcos venceu duas vezes o prêmio Jabuti; em 1995, recebeu o Troféu Juca Pato, como o Intelectual do Ano, e ocupava, desde 1986, a cadeira 17 da Academia Paulista de Letras.

Depois de trabalhar muitos anos na TV, onde escreveu novelas para a Excelsior, Globo, Tupi e Record e de redigir 32 roteiros cinematográficos, experiência relatada em seu livro *O roteirista profissional*, a partir de 1980 passou a se dedicar também à literatura juvenil, tendo já publicado quinze romances do gênero, pela editora Ática. Desde então, como poucos escritores neste país, viveu exclusivamente das letras. Assinou crônicas na revista *Veja São Paulo*, durante 8 anos, parte delas reunidas num livro, *O coração roubado*.

Marcos Rey escreveu a peça *A próxima vítima*, encenada em 1967, pela Companhia de Maria Della Costa; *Os parceiros* (*Faça uma cara inteligente, depois volte ao normal*), e *A noite mais quente do ano*. Suas últimas publicações foram *O caso do filho do encadernador*, autobiografia destinada à juventude, e *Fantoches!*, romance.

Marcos Rey faleceu em São Paulo em abril de 1999.